Kay Chadwick.

83.

LES RÊVERIES DU PROMENEUR SOLITAIRE

DU MÊME AUTEUR

Dans Le Livre de Poche

LES CONFESSIONS (2 tomes)

JEAN-JACQUES ROUSSEAU

Les rêveries du promeneur solitaire

INTRODUCTION ET COMMENTAIRES
DE BERNARD GAGNEBIN

LE LIVRE DE POCHE

Professeur de technique de la recherche dans les sciences humaines à l'Université de Genève, doyen de la faculté des lettres depuis dix ans, Bernard Gagnebin est codirecteur de l'édition des « Œuvres complètes » de J.-J. Rousseau dans la Pléiade. Il a publié de nombreux articles d'histoire et d'histoire littéraire et révélé des inédits de Voltaire, Rousseau et Chateaubriand.

INTRODUCTION

Au moment où il commence à noter les rêveries que lui inspirent ses promenades solitaires, Jean-Jacques Rousseau approche du terme de sa vie. Il a soixante-quatre ans et il sort d'une longue crise de persécution. Persuadé d'être la victime d'un complot abominable, ourdi par des gens qui ne se dévoilent pas et qui n'ont pas davantage révélé leurs griefs, Rousseau a cherché à se libérer de ses obsessions en écrivant ses *Confessions*. Dans le préambule de cet ouvrage, il s'adresse à l'ensemble de ses semblables et déclare qu'il se présentera devant Dieu, son livre à la main, pour plaider non coupable. Les lectures qu'il a faites de ses *Confessions* n'ont convaincu personne et l'ont rejeté dans les ténèbres.

Au plus fort de ses crises hallucinatoires, il se met à écrire les *Dialogues de Rousseau juge de Jean-Jacques,* où il se dédouble et place dans la bouche d'un Français les accusations portées contre lui (hypocrisie, mensonge, lâcheté, plagiat, etc.) et dans celle de Rousseau les arguments de sa propre défense. Se voyant abandonné de tout le monde, il décide de déposer son manuscrit sur l'autel de Notre-Dame pour l'offrir à la Providence, mais il trouve la grille du chœur fermée et voit là le signe que Dieu lui-même refuse de l'entendre. C'est pourquoi *Les Rêveries* s'ouvriront par ces mots : « Me voici donc seul sur la terre, n'ayant plus de frère, de prochain, d'ami, de société que moi-même. Le plus sociable et le plus aimant des humains en a été proscrit par un accord unanime. »

Plusieurs fois, Rousseau s'est senti seul, isolé, sans ami, sans parent, sans expérience, étranger dans le monde où il vit, mais jamais déclaration n'a été plus douloureuse, plus poignante.

Détaché de tout, n'attendant plus rien des hommes, Rousseau s'interroge sur sa destinée et pose une fois de plus la question : que suis-je moi-même? Ce n'est qu'en lui qu'il peut espérer trouver « la consolation, l'espérance et la paix ». La narration suivie et le dialogue fictif n'ayant point eu le résultat escompté, l'écrivain va recourir au monologue intérieur. « Livrons-nous tout entier à la douceur de converser avec mon âme puisqu'elle est la seule que les hommes ne puissent m'ôter », écrit-il.

Dans ses deux premières *Promenades*, Rousseau a merveilleusement défini ce qu'il entend par rêverie. « Ces feuilles ne seront proprement qu'un informe journal de mes rêveries. Il y sera beaucoup question de moi, parce qu'un solitaire qui réfléchit s'occupe nécessairement beaucoup de lui-même. » Et plus loin, « Je dirai ce que j'ai pensé tout comme il m'est venu et avec aussi peu de liaison que les idées de la veille en ont d'ordinaire avec celles du lendemain... »

Dans son introduction à l'édition des *Rêveries* dans la Bibliothèque de la Pléiade, Marcel Raymond écrit que « la rêverie est essentiellement un laisser-aller de l'esprit qui se poursuit passivement, sans diversion, sans obstacle », elle est « un mode naturel de la pensée abandonnée à elle-même ». Il remarque en outre que la rêverie peut avoir un objet (par exemple l'accident provoqué par un chien; les visites de Mme d'Ormoy; l'incident de la barrière d'Enfer ou l'éloge de Mme Geoffrin par d'Alembert), ou qu'elle est sans objet (comme le sont la *Cinquième* et la *Huitième Promenade*). Dans ce dernier cas, la rêverie finit par se confondre avec l'extase. Rousseau lui-même a tenu à distinguer la rêverie qui laisse sa tête entièrement libre et ses idées suivre leur cours sans gêne ni résistance, de la méditation..., qui en appelle encore à la réflexion, occupation pénible et sans charme, comme l'a si souvent prétendu l'écrivain. On lit dans *les Confessions,* que les idées viennent « quand il leur plaît, non quand il me plaît ». La réflexion le ramène à ses misères, la rêverie l'apaise et le rassérène. « Quelquefois, note-t-il *(7e Promenade),* mes rêveries finissent par la méditation, mais plus souvent mes méditations finissent par la rêverie et durant ces égarements, mon âme erre et plane dans l'univers sur les ailes de l'imagination dans des extases qui passent toute autre jouissance. »

Rousseau a toujours été un grand promeneur. Au contact de la nature, il se sent hors de l'atteinte des hommes et retrouve son être intime. Comme il l'a écrit sur une carte à jouer : « Ma vie entière n'a guère été qu'une longue rêverie divisée en chapitres par mes promenades solitaires de chaque jour. »

S'il se décide à écrire ses rêveries, c'est qu'un événement aussi triste qu'imprévu, nous dit Rousseau, lui a enlevé tout espoir de se justifier et de faire éclater son innocence. Quel événement? Les critiques ne sont pas parvenus à le déterminer avec certitude. Remise des *Dialogues* sur l'autel de Notre-Dame? Chute provoquée par le danois de M. de Saint-Fargeau? Rupture avec Mme de Créqui? Quoi qu'il en soit, Rousseau affirme que cet événement a provoqué en lui une sorte de délivrance. « Dès lors, je me suis résigné sans réserve et j'ai retrouvé la paix. » Il ne cherchera plus à ramener le public à un jugement équitable sur sa personne. Aussi écrira-t-il désormais pour lui seul, afin d'oublier ses malheurs, ses persécuteurs, ses opprobres. « Je fixerai par l'écriture, dit-il dans sa première *Promenade,* celles *(les contemplations)* qui pourront me venir encore; chaque fois que je les relirai m'en rendra la jouissance. » *Les Rêveries* seront donc pour lui non seulement une nouvelle manière de se connaître, mais encore un moyen de revivre les moments privilégiés de son existence.

Les critiques se sont ingéniés à trouver un ordre, une structure aux *Rêveries*. Rousseau a pourtant déclaré qu'il tient désormais un « informe journal ». La vingt-septième carte à jouer semble indiquer le plan d'un ouvrage, la succession des thèmes qu'il se propose de traiter :

1. Connais-toi toi-même. – 2. Froides et tristes rêveries. – 3. Morale sensitive, puis : Comment dois-je me

conduire avec mes contemporains; Du mensonge; Trop peu de santé, etc.

Certaines rêveries paraissent, en effet, correspondre à cette ébauche de plan. La *Première Promenade* annonce le projet d'une nouvelle introspection; la *Deuxième Promenade* exhale une douce mélancolie, car l'écrivain sent venir le froid des premières glaces; la *Quatrième Promenade* traite du mensonge; la *Sixième* examine la manière de se conduire avec ses contemporains. D'autres critiques ont cru discerner des couples : La *Première* et la *Deuxième Promenades* définiraient le programme de l'écrivain; la *Troisième* et la *Quatrième* exposeraient des pensées sur la vie religieuse et sur la vie morale; la *Septième* et la *Huitième* exprimeraient le bonheur dans la solitude fleurie, le bonheur en dépit d'autrui, etc. Marcel Raymond, quant à lui, a fort justement relevé que dans certaines Promenades la pensée de Rousseau se meut circulairement ou en spirale « selon que l'auteur rejoint son point de départ, à la dernière page, ou revient à diverses reprises à son thème majeur par un processus d'enroulement ».

En lisant *Les Rêveries du Promeneur solitaire*, nous nous sommes demandé si le fil conducteur ne doit pas être cherché dans la quête du bonheur, d'un bonheur que ni les vicissitudes, ni les avanies de toutes sortes ne pourraient troubler. *Les Rêveries* sont, bien sûr, une nouvelle manière pour Rousseau d'approfondir l'investigation de son moi. Par elles encore il s'évertue à retrouver l'apaisement grâce à l'évocation des moments heureux de son existence. Mais les références fréquentes au bonheur pour lequel Rousseau se dit né, témoignent d'une véritable et surprenante obsession.

Ne décrit-il pas successivement le bonheur de rentrer en soi et de se résigner à la volonté divine *(2e Promenade)*; celui de se détacher des convoitises et des honneurs *(3e Promenade)*; celui de rêver au bord d'un lac et de jouir du sentiment de l'existence *(5e Promenade)*; celui de se fondre dans la nature pour oublier les persécutions et la haine *(7e Promenade)*; celui de se détacher du monde et de dédaigner l'opinion des hommes, ces êtres purement mécaniques *(8e Promenade)*; celui de créer la joie autour de soi *(9e Promenade)*; celui de se remémorer une fois encore l'idylle des Charmettes *(10e Promenade)* et sa première rencontre avec Mme de Warens?

« L'objet de la vie humaine est la félicité, mais qui de nous sait comment on y parvient », disait Rousseau dans ses *Lettres morales* adressées à Sophie d'Houdetot en 1757. « La soif du bonheur ne s'éteint point au cœur de l'homme » écrivait-il douze ans plus tard dans ses *Confessions* et dans la *8e Promenade* : « Tout me ramène à la vie heureuse et douce pour laquelle j'étais né. »

Malgré ses déceptions, ses angoisses et ses tourments, Rousseau n'a jamais cessé de rechercher la félicité sur terre. Il sait bien, pour l'avoir écrit, que Dieu seul peut jouir d'un bonheur absolu et que l'homme doit se contenter d'un bonheur relatif. Encore faut-il savoir créer les conditions qui le rendent possible et écarter de soi les obstacles qui jalonnent notre route.

« Le bonheur... n'est point composé d'instants fugitifs, nous dit-il *(5e Promenade)*, mais un état simple et permanent, qui n'a rien de vif en lui-même, mais dont la durée accroît le charme... » Rousseau oppose le bonheur, état plein et paisible, à la vie en société, « état fugitif qui fait regretter quelque chose avant ou désirer encore quelque chose après. »

Une imagination trop vive, les regrets du passé, l'appréhension de l'avenir, une existence trépidante, les séductions de la vie en société, la richesse et le succès, la misère et la maladie sont les principaux obstacles au bonheur. Quant aux conditions qui le rendent possible, Rousseau place à leur tête la relation étroite avec la nature, mais pas avec n'importe quelle nature. Il lui faut une nature accueillante et paisible, faite d'arbres et de fleurs, de prés et de bois, proche d'un lac ou d'un étang au bord desquels il puisse laisser sa rêverie se développer au fil de l'eau. Pour atteindre à la félicité, il faut encore réunir d'autres exigences : la solitude, l'innocence, la vertu, la transparence des âmes et l'affection d'autrui. Tout au long des *Rêveries,* on sent l'angoisse étreindre l'écrivain, dès qu'il songe à la haine, aux persécutions qu'il a subies, au mépris et aux outrages accumulés sur sa tête. Celui qui se disait le plus sociable et le plus aimant des hommes a quelque peine à accepter d'être retranché du reste des humains.

Aussi affirme-t-il que le bonheur est en soi, qu'il s'agit pour le découvrir de se rassembler, de se replier sur soi. Déjà, lorsqu'il évoquait le bonheur des Charmettes, il écrivait dans ses *Confessions* : « Le bonheur n'était dans aucune chose assignable, il était tout en moi-même. » A Sophie il avait déclaré : « Apprenez à tirer de vous-même vos premiers biens », et le précepteur d'Émile recommande à son élève de resserrer son existence au-dedans de lui-même pour n'être point malheureux.

Dans la *Cinquième Promenade,* en une des plus belles pages de la prose poétique et musicale française, Rousseau évoque son séjour à l'île de Saint-Pierre. « Quand le soir approchait, je descendais des cimes de l'île et j'allais volontiers m'asseoir au bord du lac sur la grève dans quelque asile caché; là le bruit des vagues et l'agitation de l'eau, fixant mes sens et chassant de mon âme toute autre agitation, la plongeaient dans une rêverie délicieuse... »

Le flux et le reflux de l'eau créent le vide en son âme et lui permettent de se laisser envahir par la rêverie. « De quoi jouit-on dans une pareille situation? se demande-t-il. De rien d'extérieur à soi, sinon de soi-même et de sa propre existence... »

Hors de l'atteinte des hommes, en communion étroite avec la nature, bercé par les vagues qui créent ce mouvement indispensable pour le tenir éveillé, Rousseau se laisse envoûter par le rêve et ne jouit plus que du sentiment de l'existence. Le monde de la sensation et celui de la rêverie se confondent. Nature et rêve s'identifient. Rousseau remonte en quelque sorte à la source, à l'origine première de l'être. Il se sent maître de lui-même, en paix avec sa conscience et avec l'humanité. C'est pourquoi, il a osé écrire (ce qui a provoqué l'ire de ses adversaires), « Tant que cet état dure, on se suffit à soi-même comme Dieu », c'est-à-dire qu'on est capable de goûter une pleine félicité. Dans la *Profession de foi,* le vicaire savoyard ne disait-il pas aussi : « J'aspire au moment où, délivré des entraves du corps, je serai moi, sans contradiction, sans partage et n'aurai besoin que de moi pour être heureux. »

Le secret du bonheur consiste donc à se replier sur soi, à se recueillir, à se concentrer en soi pour éprouver son existence. Comme l'a si bien écrit, le P. André Ravier (*L'Éducation de l'Homme nouveau,* 1941), « il s'agit pour l'homme d'intérioriser son bonheur, de déplacer son désir de l'extérieur à l'intérieur, de passer de ce qui est hors de lui-même à ce qui est en lui-même ».

Avant Rousseau, Montaigne, Fénelon, Madame Guyon n'avaient-ils pas eux aussi engagé l'homme à « se ranger et circonscrire », à rechercher en soi la sagesse et à se vouer à la contemplation solitaire? Introspection, mystique religieuse, Rousseau pousse l'une à ses confins et, sans atteindre l'autre, pose les fondements d'un mysticisme existentiel.

Bernard GAGNEBIN

LES RÊVERIES
DU PROMENEUR SOLITAIRE

PREMIÈRE PROMENADE

Me voici donc seul sur la terre, n'ayant plus de frère, de prochain, d'ami, de société que moi-même. Le plus sociable et le plus aimant des humains en a été proscrit par un accord unanime. Ils ont cherché dans les raffinements de leur haine quel tourment pouvait être le plus cruel à mon âme sensible, et ils ont brisé violemment tous les liens qui m'attachaient à eux. J'aurais aimé les hommes en dépit d'eux-mêmes. Ils n'ont pu qu'en cessant de l'être se dérober à mon affection. Les voilà donc étrangers, inconnus, nuls enfin pour moi puisqu'ils l'ont voulu. Mais moi, détaché d'eux et de tout, que suis-je moi-même? Voilà ce qui me reste à chercher. Malheureusement, cette recherche doit être précédée d'un coup d'œil sur ma position. C'est une idée par laquelle il faut nécessairement que je passe pour arriver d'eux à moi.

Depuis quinze ans et plus que je suis dans cette étrange position, elle me paraît encore un rêve. Je m'imagine toujours qu'une indigestion me tourmente, que je dors d'un mauvais sommeil, et que je vais me réveiller bien soulagé de ma peine en me retrouvant avec mes amis. Oui, sans doute, il faut que j'aie fait sans que je m'en aperçusse un saut de la veille au sommeil, ou plutôt de la vie à la mort. Tiré je ne sais comment de l'ordre des choses, je me suis vu précipité dans un chaos incompréhensible où je n'aperçois rien du tout; et plus je pense à ma situation présente et moins je puis comprendre où je suis.

Eh! comment aurais-je pu prévoir le destin qui m'attendait? comment le puis-je concevoir encore aujourd'hui que j'y suis livré? Pouvais-je dans mon bon sens supposer qu'un jour, moi le même homme que j'étais, le même que je suis encore, je passerais, je serais tenu sans le moindre doute pour un monstre, un empoisonneur, un assassin, que je deviendrais l'horreur de la race humaine, le jouet de la canaille, que toute la salutation que me feraient les passants serait de cracher sur moi, qu'une génération tout entière s'amuserait d'un accord unanime à m'enterrer tout vivant? Quand cette étrange révolution se fit, pris au dépourvu, j'en fus d'abord bouleversé. Mes agitations, mon indignation me plongèrent dans un délire qui n'a pas eu trop de dix ans pour se calmer, et dans cet intervalle, tombé d'erreur en erreur, de faute en faute, de sottise en sottise, j'ai fourni par mes imprudences aux directeurs de ma destinée autant d'instruments qu'ils ont habilement mis en œuvre pour la fixer sans retour.

Je me suis débattu longtemps aussi violemment que

vainement. Sans adresse, sans art, sans dissimulation, sans prudence, franc, ouvert, impatient, emporté, je n'ai fait en me débattant que m'enlacer davantage et leur donner incessamment de nouvelles prises qu'ils n'ont eu garde de négliger. Sentant enfin tous mes efforts inutiles et me tourmentant à pure perte, j'ai pris le seul parti qui me restait à prendre, celui de me soumettre à ma destinée sans plus regimber contre la nécessité. J'ai trouvé dans cette résignation le dédommagement de tous mes maux par la tranquillité qu'elle me procure et qui ne pouvait s'allier avec le travail continuel d'une résistance aussi pénible qu'infructueuse.

Une autre chose a contribué à cette tranquillité. Dans tous les raffinements de leur haine, mes persécuteurs en ont omis un que leur animosité leur a fait oublier; c'était d'en graduer si bien les effets qu'ils pussent entretenir et renouveler mes douleurs sans cesse en me portant toujours quelque nouvelle atteinte. S'ils avaient eu l'adresse de me laisser quelque lueur d'espérance, ils me tiendraient encore par là. Ils pourraient faire encore de moi leur jouet par quelque faux leurre, et me navrer ensuite d'un tourment toujours nouveau par mon attente déçue. Mais ils ont d'avance épuisé toutes leurs ressources; en ne me laissant rien ils se sont tout ôté à eux-mêmes. La diffamation, la dépression, la dérision, l'opprobre dont ils m'ont couvert ne sont pas plus susceptibles d'augmentation que d'adoucissement; nous sommes également hors d'état, eux de les aggraver et moi de m'y soustraire.

Ils se sont tellement pressés de porter à son comble la mesure de ma misère que toute la puissance humaine, aidée de toutes les ruses de l'enfer, n'y saurait plus rien ajouter. La douleur physique elle-même au lieu d'augmenter mes peines y ferait diversion. En m'arrachant des cris, peut-être, elle m'épargnerait des gémissements, et les déchirements de mon corps suspendraient ceux de mon cœur.

Qu'ai-je encore à craindre d'eux puisque tout est fait? Ne pouvant plus empirer mon état, ils ne sauraient plus m'inspirer d'alarmes. L'inquiétude et l'effroi sont des maux dont ils m'ont pour jamais délivré : c'est toujours un soulagement. Les maux réels ont sur moi peu de prise; je prends aisément mon parti sur ceux que j'éprouve, mais non pas sur ceux que je crains. Mon imagination effarouchée les combine, les retourne, les étend et les augmente. Leur attente me tourmente cent fois plus que leur présence, et la menace m'est plus terrible que le coup. Sitôt qu'ils arrivent, l'événement, leur ôtant tout ce qu'ils avaient d'imaginaire, les réduit à leur juste valeur. Je les trouve alors beaucoup moindres que je ne me les étais figurés, et même au milieu de ma souffrance je ne laisse pas de me sentir soulagé. Dans cet état, affranchi de toute nouvelle crainte et délivré de l'inquiétude de l'espérance, la seule habitude suffira pour me rendre de jour en jour plus supportable une situation que rien ne peut empirer, et à mesure que le sentiment s'en émousse par la durée ils n'ont plus de moyens pour le ranimer. Voilà le bien que m'ont fait mes persécuteurs en épuisant sans mesure tous les traits de leur animosité. Ils se sont ôté sur moi tout empire, et je puis désormais me moquer d'eux.

Il n'y a pas deux mois encore qu'un plein calme est rétabli dans mon cœur. Depuis longtemps je ne craignais plus rien, mais j'espérais encore, et cet espoir tantôt bercé tantôt frustré était une prise par laquelle mille passions diverses ne cessaient de m'agiter. Un événement aussi triste qu'imprévu vient enfin d'effacer de mon cœur ce faible rayon d'espérance et m'a fait voir ma destinée fixée à jamais sans retour ici-bas. Dès lors je me suis résigné sans réserve et j'ai retrouvé la paix.

Sitôt que j'ai commencé d'entrevoir la trame dans toute son étendue, j'ai perdu pour jamais l'idée de ramener de mon vivant le public sur mon compte; et même ce retour, ne pouvant plus être réciproque, me serait désormais bien inutile. Les hommes auraient beau revenir à moi, ils ne me retrouveraient plus. Avec le dédain qu'ils m'ont inspiré, leur commerce me serait insipide et même à charge, et je suis cent fois plus heureux dans ma solitude que je ne pourrais l'être en vivant avec eux. Ils ont arraché de mon cœur toutes les douceurs de la société. Elles n'y pourraient plus germer derechef à mon âge; il est trop tard. Qu'ils me fassent désormais du bien ou du mal, tout m'est indifférent de leur part, et quoi qu'ils fassent, mes contemporains ne seront jamais rien pour moi.

Mais je comptais encore sur l'avenir, et j'espérais qu'une génération meilleure, examinant mieux et les jugements portés par celle-ci sur mon compte et sa conduite avec moi, démêlerait aisément l'artifice de ceux qui la dirigent et me verrait encore tel que je suis. C'est cet espoir qui m'a fait écrire mes *Dialogues,* et qui m'a suggéré mille folles tentatives pour les faire passer à la postérité. Cet espoir, quoique éloigné, tenait mon âme dans la même agitation que quand je cherchais encore dans le siècle un cœur juste, et mes espérances que j'avais beau jeter au loin me rendaient également le jouet des hommes d'aujourd'hui. J'ai dit dans mes *Dialogues* sur quoi je fondais cette attente. Je me trompais. Je l'ai senti par bonheur assez à temps pour trouver encore avant ma dernière heure un intervalle de pleine quiétude et de repos absolu. Cet intervalle a commencé à l'époque dont je parle, et j'ai lieu de croire qu'il ne sera plus interrompu.

Il se passe bien peu de jours que de nouvelles réflexions ne me confirment combien j'étais dans l'erreur de compter sur le retour du public, même dans un autre âge; puisqu'il est conduit dans ce qui me regarde par des guides qui se renouvellent sans cesse dans les corps qui m'ont pris en aversion. Les particuliers meurent, mais les corps collectifs ne meurent point. Les mêmes passions s'y perpétuent, et leur haine ardente, immortelle comme le démon qui l'inspire, a toujours la même activité. Quand tous mes ennemis particuliers seront morts, les médecins, les oratoriens vivront encore, et quand je n'aurais pour persécuteurs que ces deux corps-là, je dois être sûr qu'ils ne laisseront pas plus de paix à ma mémoire après ma mort qu'ils n'en laissent à ma personne de mon vivant. Peut-être, par trait de temps, les médecins, que j'ai réellement offensés, pourraient-ils s'apaiser. Mais les oratoriens que j'aimais, que j'estimais, en qui j'avais toute confiance et que je n'offensai jamais, les oratoriens, gens d'Église et demi-moines, seront à jamais implacables, leur propre iniquité fait mon crime que leur amour-propre ne me pardonnera jamais, et le public dont ils auront soin d'entretenir et ranimer l'animosité sans cesse, ne s'apaisera pas plus qu'eux.

Tout est fini pour moi sur la terre. On ne peut plus m'y faire ni bien ni mal. Il ne me reste plus rien à espérer ni à craindre en ce monde, et m'y voilà tranquille au fond de l'abîme, pauvre mortel infortuné, mais impassible comme Dieu même.

Tout ce qui m'est extérieur m'est étranger désormais. Je n'ai plus en ce monde ni prochain, ni semblables, ni frères. Je suis sur la terre comme dans une planète étrangère où je serais tombé de celle que j'habitais. Si je reconnais autour de moi quelque chose, ce ne sont que des objets affligeants et déchirants pour mon cœur, et je ne peux jeter les yeux sur ce qui me touche et m'entoure sans y trouver toujours quelque sujet de dédain qui m'indigne, ou de douleur qui m'afflige. Écartons donc de mon esprit tous les pénibles objets que je m'occuperais aussi douloureusement qu'inutilement. Seul pour le reste de ma vie, puisque je ne trouve qu'en moi la consolation, l'espérance et la paix, je ne dois ni ne veux plus m'occuper que de moi. C'est dans cet état que je reprends la suite de l'examen sévère et sincère que j'appelai jadis mes *Confessions*. Je consacre mes derniers jours à m'étudier moi-même et à préparer d'avance le compte que je ne tarderai pas à rendre de moi. Livrons-nous tout entier à la douceur de converser avec mon âme puisqu'elle est la seule que les hommes ne puissent m'ôter. Si à force de réfléchir sur mes dispositions intérieures je parviens à les mettre en meilleur ordre et à corriger le mal qui peut y rester, mes méditations ne seront pas entièrement inutiles, et quoique je ne sois plus bon à rien sur la terre, je n'aurai pas tout à fait perdu mes derniers jours. Les loisirs de mes promenades journalières ont souvent été remplis de contemplations charmantes dont j'ai regret d'avoir perdu le souvenir. Je fixerai par l'écriture celles qui pourront me venir encore; chaque fois que je les relirai m'en rendra la jouissance. J'oublierai mes malheurs, mes persécuteurs, mes opprobres, en songeant au prix qu'avait mérité mon cœur.

Ces feuilles ne seront proprement qu'un informe journal de mes rêveries. Il y sera beaucoup question de moi, parce qu'un solitaire qui réfléchit s'occupe nécessairement beaucoup de lui-même. Du reste toutes les idées étrangères qui me passent par la tête en me promenant y trouveront également leur place. Je dirai ce que j'ai pensé tout comme il m'est venu et avec aussi peu de liaison que les idées de la veille en ont d'ordinaire avec celles du lendemain. Mais il en résultera toujours une nouvelle connaissance de mon naturel et de mon humeur par celle des sentiments et des pensées dont mon esprit fait sa pâture journalière dans l'étrange état où je suis. Ces feuilles peuvent donc être regardées comme un appendice de mes *Confessions,* mais je ne leur en donne plus le titre, ne sentant plus rien à dire qui puisse le mériter. Mon cœur s'est purifié à la coupelle de l'adversité, et j'y trouve à peine en le sondant avec soin quelque reste de penchant répréhensible. Qu'aurais-je encore à confesser quand toutes les affections terrestres en sont arrachées? Je n'ai pas plus à me louer qu'à me blâmer : je suis nul désormais parmi les hommes, et c'est tout ce que je puis être, n'ayant plus avec eux de relation réelle, de véritable société. Ne pouvant plus faire aucun bien qui ne tourne à mal, ne pouvant plus agir sans nuire à autrui ou à moi-même, m'abstenir est devenu mon unique devoir, et je le remplis autant qu'il est en moi. Mais dans ce désœuvrement du corps mon âme est encore active, elle produit encore des sentiments, des pensées, et sa vie interne et morale semble encore s'être accrue par la mort de tout intérêt terrestre et temporel. Mon corps n'est plus pour moi qu'un embarras, qu'un obstacle, et je m'en dégage d'avance autant que je puis.

Une situation si singulière mérite assurément d'être examinée et décrite, et c'est à cet examen que je consacre mes derniers loisirs. Pour le faire avec succès il y faudrait procéder avec ordre et méthode : mais je suis incapable de ce travail et même il m'écarterait de mon but qui est de me rendre compte des modifications de mon âme et de leurs successions. Je ferai sur moi-même à quelque égard les opérations que font les physiciens sur l'air pour en connaître l'état journalier. J'appliquerai le baromètre à mon âme, et ces opérations bien dirigées et longtemps répétées me pourraient fournir des résultats aussi sûrs que les leurs. Mais je n'étends pas jusque-là mon entreprise. Je me contenterai de tenir le registre des opérations sans chercher à les réduire en système. Je fais la même entreprise que Montaigne, mais avec un but tout contraire au sien : car il n'écrivait ses *Essais* que pour les autres, et je n'écris mes rêveries que pour moi. Si dans mes plus vieux jours, aux approches du départ, je reste, comme je l'espère, dans la même disposition où je suis, leur lecture me rappellera la douceur que je goûte à les écrire et, faisant renaître ainsi pour moi le temps passé, doublera pour ainsi dire mon existence. En dépit des hommes je saurai goûter encore le charme de la société et je vivrai décrépit avec moi dans un autre âge comme je vivrais avec un moins vieux ami.

J'écrivais mes premières *Confessions* et mes *Dialogues* dans un souci continuel sur les moyens de les dérober aux mains rapaces de mes persécuteurs, pour les transmettre, s'il était possible, à d'autres générations. La même inquiétude ne me tourmente plus pour cet écrit, je sais qu'elle serait inutile, et le désir d'être mieux connu des hommes s'étant éteint dans mon cœur n'y laisse qu'une indifférence profonde sur le sort et de mes vrais écrits et des monuments de mon innocence, qui déjà peut-être ont été tous pour jamais anéantis. Qu'on épie ce que je fais, qu'on s'inquiète de ces feuilles, qu'on s'en empare, qu'on les supprime, qu'on les falsifie, tout cela m'est égal désormais. Je ne les cache ni ne les montre. Si on me les enlève de mon vivant on ne m'enlèvera ni le plaisir de les avoir écrites, ni le souvenir de leur contenu, ni les méditations solitaires dont elles sont le fruit et dont la source ne peut s'éteindre qu'avec mon âme. Si dès mes premières calamités j'avais su ne point regimber contre ma destinée et prendre le parti que je prends aujourd'hui, tous les efforts des hommes, toutes leurs épouvantables machines eussent été sur moi sans effet, et ils n'auraient pas plus troublé mon repos par toutes leurs trames qu'ils ne peuvent le troubler désormais par tous leurs succès; qu'ils jouissent à leur gré de mon opprobre, ils ne m'empêcheront pas de jouir de mon innocence et d'achever mes jours en paix malgré eux.

DEUXIÈME PROMENADE

AYANT donc formé le projet de décrire l'état habituel de mon âme dans la plus étrange position où se puisse jamais trouver un mortel, je n'ai vu nulle manière plus simple et plus sûre d'exécuter cette entreprise que de tenir un registre fidèle de mes promenades solitaires et des rêveries qui les remplissent quand je laisse ma tête entièrement libre, et mes idées suivre leur pente sans résistance et sans gêne. Ces heures de solitude et de méditation sont les seules de la journée où je sois pleinement moi et à moi sans diversion, sans obstacle, et où je puisse véritablement dire être ce que la nature a voulu.

J'ai bientôt senti que j'avais trop tardé d'exécuter ce projet. Mon imagination déjà moins vive ne s'enflamme plus comme autrefois à la contemplation de l'objet qui l'anime, je m'enivre moins du délire de la rêverie; il y a plus de réminiscence que de création dans ce qu'elle produit désormais, un tiède alanguissement énerve toutes mes facultés, l'esprit de vie s'éteint en moi par degrés; mon âme ne s'élance plus qu'avec peine hors de sa caduque enveloppe, et sans l'espérance de l'état auquel j'aspire parce que je m'y sens avoir droit, je n'existerais plus que par des souvenirs. Ainsi pour me contempler moi-même avant mon déclin, il faut que je remonte au moins de quelques années au temps où, perdant tout espoir ici-bas et ne trouvant plus d'aliment pour mon cœur sur la terre, je m'accoutumais peu à peu à le nourrir de sa propre substance et à chercher toute sa pâture au-dedans de moi.

Cette ressource, dont je m'avisai trop tard, devint si féconde qu'elle suffit bientôt pour me dédommager de tout. L'habitude de rentrer en moi-même me fit perdre enfin le sentiment et presque le souvenir de mes maux, j'appris ainsi par ma propre expérience que la source du vrai bonheur est en nous, et qu'il ne dépend pas des hommes de rendre vraiment misérable celui qui sait vouloir être heureux. Depuis quatre ou cinq ans je goûtais habituellement ces délices internes que trouvent dans la contemplation les âmes aimantes et douces. Ces ravissements, ces extases que j'éprouvais quelquefois en me promenant ainsi seul étaient des jouissances que je devais à mes persécuteurs : sans eux je n'aurais jamais trouvé ni connu les trésors que je portais en moi-même. Au milieu de tant de richesses, comment en tenir un registre fidèle? En voulant me rappeller tant de douces rêveries, au lieu de les décrire j'y retombais. C'est un état que son souvenir ramène, et qu'on cesserait bientôt de connaître en cessant tout à fait de le sentir.

J'éprouvai bien cet effet dans les promenades qui suivirent le projet d'écrire la suite de mes *Confessions,* surtout dans celle dont je vais parler et dans laquelle un accident imprévu vint rompre le fil de mes idées et leur donner pour quelque temps un autre cours.

Le jeudi 24 octobre 1776, je suivis après dîner les boulevards jusqu'à la rue du Chemin-Vert par laquelle je gagnai les hauteurs de Ménilmontant, et de là prenant les sentiers à travers les vignes et les prairies, je traversai jusqu'à Charonne le riant paysage qui sépare ces deux villages, puis je fis un détour pour revenir par les mêmes prairies en prenant un autre chemin. Je m'amusais à les parcourir avec ce plaisir et cet intérêt que m'ont toujours donnés les sites agréables, et m'arrêtant quelquefois à fixer des plantes dans la verdure. J'en aperçus deux que je voyais assez rarement autour de Paris et que je trouvai très abondantes dans ce canton-là. L'une est le *Picris hieracioïdes,* de la famille des composées, et l'autre le *Bupleuron falcatum,* de celle des ombellifères. Cette découverte me réjouit et m'amusa très longtemps et finit par celle d'une plante encore plus rare, surtout dans un pays élevé, savoir le *Cerastium aquaticum* que, malgré l'accident qui m'arriva le même jour, j'ai retrouvé dans un livre que j'avais sur moi et placé dans mon herbier.

Enfin, après avoir parcouru en détail plusieurs autres plantes que je voyais encore en fleurs, et dont l'aspect et l'énumération qui m'était familière me donnaient néanmoins toujours du plaisir, je quittai peu à peu ces menues observations pour me livrer à l'impression non moins agréable mais plus touchante que faisait sur moi l'ensemble de tout cela. Depuis quelques jours on avait achevé la vendange; les promeneurs de la ville s'étaient déjà retirés; les paysans aussi quittaient les champs jusqu'aux travaux d'hiver. La campagne, encore verte et riante, mais défeuillée en partie et déjà presque déserte, offrait partout l'image de la solitude et des approches de l'hiver. Il résultait de son aspect un mélange d'impression douce et triste, trop analogue à mon âge et à mon sort pour que je ne m'en fisse pas l'application. Je me voyais au déclin d'une vie innocente et infortunée, l'âme encore pleine de sentiments vivaces et l'esprit encore orné de quelques fleurs, mais déjà flétries par la tristesse et desséchées par les ennuis. Seul et délaissé je sentais venir le froid des premières glaces, et mon imagination tarissante ne peuplait plus ma solitude d'êtres formés selon mon cœur. Je me disais en soupirant : qu'ai-je fait ici-bas? J'étais fait pour vivre, et je meurs sans avoir vécu. Au moins ce n'a pas été ma faute, et je porterai à l'auteur de mon être, sinon l'offrande des bonnes œuvres qu'on ne m'a pas laissé faire, du moins un tribut de bonnes intentions frustrées, de sentiments sains mais rendus sans effet et d'une patience à l'épreuve des mépris des hommes. Je m'attendrissais sur ces réflexions, je récapitulais les mouvements de mon âme dès ma jeunesse, et pendant mon âge mûr, et depuis qu'on m'a séquestré de la société des hommes, et durant la longue retraite dans laquelle je dois achever mes jours. Je revenais avec complaisance sur toutes les affections de mon cœur, sur ses attachements si tendres mais si aveugles, sur les idées moins tristes que consolantes dont mon esprit s'était nourri depuis quelques années, et je me préparais à les rappeler assez pour les décrire avec un plaisir presque égal à celui que j'avais pris à m'y livrer. Mon après-midi se passa dans ces paisibles méditations, et je m'en revenais très content de ma journée, quand au fort de ma rêverie j'en fus tiré par l'événement qui me reste à raconter.

J'étais sur les six heures à la descente de Ménilmontant presque vis-à-vis du Galant Jardinier, quand, des personnes qui marchaient devant moi s'étant tout à coup brusquement écartées, je vis fondre sur moi un gros chien danois qui, s'élançant à toutes jambes devant un carrosse, n'eut pas même le temps de retenir sa course ou de se détourner quand il m'aperçut. Je jugeai que le seul moyen que j'avais d'éviter d'être jeté par terre était de faire un grand saut si juste que le chien passât sous moi tandis que je serais en l'air. Cette idée plus prompte que l'éclair et que je n'eus le temps ni de raisonner ni d'exécuter fut la dernière avant mon accident. Je ne sentis ni le coup ni la chute, ni rien de ce qui s'ensuivit jusqu'au moment où je revins à moi.

Il était presque nuit quand je repris connaissance. Je me trouvai entre les bras de trois ou quatre jeunes gens qui me racontèrent ce qui venait de m'arriver. Le chien danois n'ayant pu retenir son élan s'était précipité sur mes deux jambes et, me choquant de sa masse et de sa vitesse, m'avait fait tomber la tête en avant : la mâchoire supérieure portant tout le poids de mon corps avait frappé sur un pavé très raboteux, et la chute avait été d'autant plus violente qu'étant à la descente, ma tête avait donné plus bas que mes pieds.

Le carrosse auquel appartenait le chien suivait immédiatement et m'aurait passé sur le corps si le cocher n'eût à l'instant retenu ses chevaux. Voilà ce que j'appris par le récit de ceux qui m'avaient relevé et qui me soutenaient encore lorsque je revins à moi. L'état auquel je me trouvai dans cet instant est trop singulier pour n'en pas faire ici la description.

La nuit s'avançait. J'aperçus le ciel, quelques étoiles, et un peu de verdure. Cette première sensation fut un moment délicieux. Je ne me sentais encore que par là. Je naissais dans cet instant à la vie, et il me semblait que je remplissais de ma légère existence tous les objets que j'apercevais. Tout entier au moment présent je ne me souvenais de rien; je n'avais nulle notion distincte de mon individu, pas la moindre idée de ce qui venait de m'arriver; je ne savais ni qui j'étais ni où j'étais; je ne sentais ni mal, ni crainte, ni inquiétude. Je voyais couler mon sang comme j'aurais vu couler un ruisseau, sans songer seulement que ce sang m'appartînt en aucune sorte. Je sentais dans tout mon être un calme ravissant auquel, chaque fois que je me le rappelle, je ne trouve rien de comparable dans toute l'activité des plaisirs connus.

On me demanda où je demeurais; il me fut impossible de le dire. Je demandai où j'étais; on me dit, *à la Haute-Borne,* c'était comme si l'on m'eût dit *au mont Atlas*. Il fallut demander successivement le pays, la ville et le quartier où je me trouvais. Encore cela ne put-il suffire pour me reconnaître; il me fallut tout le trajet de là jusqu'au boulevard pour me rappeler ma demeure et mon nom. Un monsieur que je ne connaissais pas et qui eut la charité de m'accompagner quelque temps, apprenant que je demeurais si loin, me conseilla de prendre au Temple un fiacre pour me reconduire chez moi. Je marchais très bien, très légèrement, sans sentir ni douleur ni blessure, quoique je crachasse toujours beaucoup de sang. Mais j'avais un frisson glacial qui faisait claquer d'une façon très incommode mes dents fracassées. Arrivé au Temple, je pensai que puisque je marchais sans peine il valait mieux continuer ainsi ma route à pied que de m'exposer à périr de froid dans un fiacre. Je fis ainsi la demi-lieue qu'il y a du Temple à la rue Plâtrière, marchant sans peine, évitant les embarras, les voitures, choisissant et suivant mon chemin tout aussi bien que j'aurais pu faire en pleine santé. J'arrive, j'ouvre le secret qu'on a fait mettre à la porte de la rue, je monte l'escalier dans l'obscurité, et j'entre enfin chez moi sans autre accident que ma chute et ses suites, dont je ne m'apercevais pas même encore alors.

Les cris de ma femme en me voyant me firent comprendre que j'étais plus maltraité que je ne pensais. Je passai la nuit sans connaître encore et sentir mon mal. Voici ce que je sentis et trouvai le lendemain. J'avais la lèvre supérieure fendue en dedans jusqu'au nez, en dehors la peau l'avait mieux garantie et empêchait la totale séparation, quatre dents enfoncées à la mâchoire supérieure, toute la partie du visage qui la couvre extrêmement enflée et meurtrie, le pouce droit foulé et très gros, le pouce gauche grièvement blessé, le bras gauche foulé, le genou gauche aussi très enflé et qu'une contusion forte et douloureuse empêchait totalement de plier. Mais avec tout ce fracas rien de brisé, pas même une dent, bonheur qui tient du prodige dans une chute comme celle-là.

Voilà très fidèlement l'histoire de mon accident. En peu de jours cette histoire se répandit dans Paris tellement changée et défigurée qu'il était impossible d'y rien reconnaître. J'aurais dû compter d'avance sur cette métamorphose; mais il s'y joignit tant de circonstances bizarres; tant de propos obscurs et de réticences l'accompagnèrent, on m'en parlait d'un air si risiblement discret que tous ces mystères m'inquiétèrent. J'ai toujours haï les ténèbres, elles m'inspirent naturellement une horreur que celles dont on m'environne depuis tant d'années n'ont pas dû diminuer. Parmi toutes les singularités de cette époque je n'en remarquerai qu'une, mais suffisante pour faire juger des autres.

M. Lenoir, lieutenant général de police, avec lequel je n'avais eu jamais aucune relation, envoya son secrétaire s'informer de mes nouvelles, et me faire d'instantes offres de services qui ne me parurent pas dans la circonstance d'une grande utilité pour mon soulagement. Son secrétaire ne laissa pas de me presser très vivement de me prévaloir de ses offres, jusqu'à me dire que si je ne me fiais pas à lui je pouvais écrire directement à M. Lenoir. Ce grand empressement et l'air de confidence qu'il y joignit me firent comprendre qu'il y avait sous tout cela quelque mystère que je cherchais vainement à pénétrer. Il n'en fallait pas tant pour m'effaroucher, surtout dans l'état d'agitation où mon accident et la fièvre qui s'y était jointe avaient mis ma tête. Je me livrais à mille conjectures inquiétantes et tristes, et je faisais sur tout ce qui se passait autour de moi des commentaires qui marquaient plutôt le délire de la fièvre que le sang-froid d'un homme qui ne prend plus d'intérêt à rien.

Un autre événement vint achever de troubler ma tranquillité. Madame d'Ormoy m'avait recherché depuis quelques années, sans que je pusse deviner pourquoi. De petits cadeaux affectés, de fréquentes visites sans objet et sans plaisir me marquaient assez un but secret à tout cela, mais ne me le montraient pas. Elle m'avait parlé d'un roman qu'elle voulait faire pour le présenter à la reine. Je lui avais dit ce que je pensais des femmes auteurs. Elle m'avait fait entendre que ce projet avait pour but le rétablissement de sa fortune pour lequel elle avait besoin de protection; je n'avais rien à répondre à cela. Elle me dit depuis que n'ayant pu avoir accès auprès de la reine elle était déterminée à donner son livre au public. Ce n'était plus le cas de lui donner des conseils qu'elle ne me demandait pas, et qu'elle n'aurait pas suivis. Elle m'avait parlé de me montrer auparavant le manuscrit. Je la priai de n'en rien faire, et elle n'en fit rien.

Un beau jour, durant ma convalescence, je reçus de

sa part ce livre tout imprimé et même relié, et je vis dans la préface de si grosses louanges de moi, si maussadement plaquées et avec tant d'affectation, que j'en fus désagréablement affecté. La rude flagornerie qui s'y faisait sentir ne s'allia jamais avec la bienveillance, mon cœur ne saurait se tromper là-dessus.

Quelques jours après, madame d'Ormoy me vint voir avec sa fille. Elle m'apprit que son livre faisait le plus grand bruit à cause d'une note qui le lui attirait; j'avais à peine remarqué cette note en parcourant rapidement ce roman. Je la relus après le départ de madame d'Ormoy, j'en examinai la tournure, j'y crus trouver le motif de ses visites, de ses cajoleries, des grosses louanges de sa préface, et je jugeai que tout cela n'avait d'autre but que de disposer le public à m'attribuer la note et par conséquent le blâme qu'elle pouvait attirer à son auteur dans la circonstance où elle était publiée.

Je n'avais aucun moyen de détruire ce bruit et l'impression qu'il pouvait faire, et tout ce qui dépendait de moi était de ne pas l'entretenir en souffrant la continuation des vaines et ostensibles visites de madame d'Ormoy et de sa fille. Voici pour cet effet le billet que j'écrivis à la mère :

« Rousseau ne recevant chez lui aucun auteur remercie madame d'Ormoy de ses bontés et la prie de ne plus l'honorer de ses visites. »

Elle me répondit par une lettre honnête dans la forme, mais tournée comme toutes celles que l'on m'écrit en pareil cas. J'avais barbarement porté le poignard dans son cœur sensible, et je devais croire au ton de sa lettre qu'ayant pour moi des sentiments si vifs et si vrais elle ne supporterait point sans mourir cette rupture. C'est ainsi que la droiture et la franchise en toute chose sont des crimes affreux dans le monde, et je paraîtrais à mes contemporains méchant et féroce quand je n'aurais à leurs yeux d'autre crime que de n'être pas faux et perfide comme eux.

J'étais déjà sorti plusieurs fois et je me promenais même assez souvent aux Tuileries, quand je vis à l'étonnement de plusieurs de ceux qui me rencontraient qu'il y avait encore à mon égard quelque autre nouvelle que j'ignorais. J'appris enfin que le bruit public était que j'étais mort de ma chute, et ce bruit se répandit si rapidement et opiniâtrément que plus de quinze jours après que j'en fus instruit l'on en parla à la cour comme d'une chose sûre. Le *Courrier d'Avignon*, à ce qu'on eut soin de m'écrire, annonçant cette heureuse nouvelle, ne manqua pas d'anticiper à cette occasion sur le tribut d'outrages et d'indignités qu'on prépare à ma mémoire après ma mort, en forme d'oraison funèbre.

Cette nouvelle fut accompagnée d'une circonstance encore plus singulière que je n'appris que par hasard et dont je n'ai pu savoir aucun détail. C'est qu'on avait ouvert en même temps une souscription pour l'impression des manuscrits que l'on trouverait chez moi. Je compris par là qu'on tenait prêt un recueil d'écrits fabriqués tout exprès pour me les attribuer d'abord après ma mort : car de penser qu'on imprimât fidèlement aucun de ceux qu'on pourrait trouver en effet, c'était une bêtise qui ne pouvait entrer dans l'esprit d'un homme sensé, et dont quinze ans d'expérience ne m'ont que trop garanti.

Ces remarques faites coup sur coup et suivies de beaucoup d'autres qui n'étaient guère moins étonnantes effarouchèrent derechef mon imagination que je croyais amortie, et ces noires ténèbres qu'on renforçait sans relâche autour de moi ranimèrent toute l'horreur qu'elles m'inspirent naturellement. Je me fatiguai à faire sur tout cela mille commentaires et à tâcher de comprendre des mystères qu'on a rendus inexplicables pour moi. Le seul résultat constant de tant d'énigmes fut la confirmation de toutes mes conclusions précédentes, savoir que, la destinée de ma personne et celle de ma réputation ayant été fixées de concert par toute la génération présente, nul effort de ma part ne pouvait m'y soustraire puisqu'il m'est de toute impossibilité de transmettre aucun dépôt à d'autres âges sans le faire passer dans celui-ci par des mains intéressées à le supprimer.

Mais cette fois j'allai plus loin. L'amas de tant de circonstances fortuites, l'élévation de tous mes plus cruels ennemis affectée pour ainsi dire par la fortune, tous ceux qui gouvernent l'Etat, tous ceux qui dirigent l'opinion publique, tous les gens en place, tous les hommes en crédit triés comme sur le volet parmi ceux qui ont contre moi quelque animosité secrète, pour concourir au commun complot, cet accord universel est trop extraordinaire pour être purement fortuit. Un seul homme qui eût refusé d'en être complice, un seul événement qui lui eût été contraire, une seule circonstance imprévue qui lui eût fait obstacle, suffisait pour le faire échouer. Mais toutes les volontés, toutes les fatalités, la fortune et toutes les révolutions ont affermi l'œuvre des hommes, et un concours si frappant qui tient du prodige ne peut me laisser douter que son plein succès ne soit écrit dans les décrets éternels. Des foules d'observations particulières, soit dans le passé, soit dans le présent, me confirment tellement dans cette opinion que je ne puis m'empêcher de regarder désormais comme un de ces secrets du ciel impénétrables à la raison humaine la même œuvre que je n'envisageais jusqu'ici que comme un fruit de la méchanceté des hommes.

Cette idée, loin de m'être cruelle et déchirante, me console, me tranquillise, et m'aide à me résigner. Je ne vais pas si loin que saint Augustin qui se fût consolé d'être damné si telle eût été la volonté de Dieu. Ma résignation vient d'une source moins désintéressée, il est vrai, mais non moins pure et plus digne à mon gré de l'Etre parfait que j'adore. Dieu est juste; il veut que je souffre; et il sait que je suis innocent. Voilà le motif de ma confiance, mon cœur et ma raison me crient qu'elle ne me trompera pas. Laissons donc faire les hommes et la destinée; apprenons à souffrir sans murmure; tout doit à la fin rentrer dans l'ordre, et mon tour viendra tôt ou tard.

TROISIÈME PROMENADE

Je deviens vieux en apprenant toujours.

SOLON répétait souvent ce vers dans sa vieillesse. Il a un sens dans lequel je pourrais le dire aussi dans la mienne; mais c'est une bien triste science que celle que depuis vingt ans l'expérience m'a fait acquérir : l'ignorance est encore préférable. L'adversité sans doute est un grand maître, mais ce maître fait payer cher ses leçons, et souvent le profit qu'on en retire ne vaut pas le prix qu'elles ont coûté. D'ailleurs, avant qu'on ait obtenu tout cet acquis par des leçons si tardives, l'à-propos d'en user se passe. La jeunesse est le temps d'étudier la sagesse; la vieillesse est le temps de la pratiquer. L'expérience instruit toujours, je l'avoue; mais elle ne profite que pour l'espace qu'on a devant soi. Est-il temps au moment qu'il faut mourir d'apprendre comment on aurait dû vivre?

Eh! que me servent des lumières si tard et si douloureusement acquises sur ma destinée et sur les passions d'autrui dont elle est l'œuvre? Je n'ai appris à mieux connaître les hommes que pour mieux sentir la misère où ils m'ont plongé, sans que cette connaissance, en me découvrant tous leurs pièges, m'en ait pu faire éviter aucun. Que ne suis-je resté toujours dans cette imbécile mais douce confiance qui me rendit durant tant d'années la proie et le jouet de mes bruyants amis, sans qu'enveloppé de toutes leurs trames j'en eusse même le moindre soupçon! J'étais leur dupe et leur victime, il est vrai, mais je me croyais aimé d'eux, et mon cœur jouissait de l'amitié qu'ils m'avaient inspirée en leur en attribuant autant pour moi. Ces douces illusions sont détruites. La triste vérité que le temps et la raison m'ont dévoilée en me faisant sentir mon malheur m'a fait voir qu'il était sans remède et qu'il ne me restait qu'à m'y résigner. Ainsi toutes les expériences de mon âge sont pour moi dans mon état sans utilité présente et sans profit pour l'avenir.

Nous entrons en lice à notre naissance, nous en sortons à la mort. Que sert d'apprendre à mieux conduire son char quand on est au bout de la carrière? Il ne reste plus à penser alors que comment on en sortira. L'étude d'un vieillard, s'il lui en reste encore à faire, est uniquement d'apprendre à mourir, et c'est précisément celle qu'on fait le moins à mon âge, on y pense à tout hormis à cela. Tous les vieillards tiennent plus à la vie que les enfants et en sortent de plus mauvaise grâce que les jeunes gens. C'est que, tous leurs travaux ayant été pour cette même vie, ils voient à sa fin qu'ils ont perdu leurs peines. Tous leurs soins, tous leurs biens, tous les fruits de leurs laborieuses veilles, ils quittent tout quand ils s'en vont. Ils n'ont songé à rien acquérir durant leur vie qu'ils pussent emporter à leur mort.

Je me suis dit tout cela quand il était temps de me le dire, et si je n'ai pas mieux su tirer parti de mes réflexions, ce n'est pas faute de les avoir faites à temps et de les avoir bien digérées. Jeté dès mon enfance dans le tourbillon du monde, j'appris de bonne heure par l'expérience que je n'étais pas fait pour y vivre, et que je n'y parviendrais jamais à l'état dont mon cœur sentait le besoin. Cessant donc de chercher parmi les hommes le bonheur que je sentais n'y pouvoir trouver, mon ardente imagination sautait déjà par-dessus l'espace de ma vie, à peine commencée, comme sur un terrain qui m'était étranger, pour se reposer sur une assiette tranquille où je pusse me fixer.

Ce sentiment, nourri par l'éducation dès mon enfance et renforcé durant toute ma vie par ce long tissu de misères et d'infortunes qui l'a remplie, m'a fait chercher dans tous les temps à connaître la nature et la destination de mon être avec plus d'intérêt et de soin que je n'en ai trouvé dans aucun autre homme. J'en ai beaucoup vu qui philosophaient bien plus doctement que moi, mais leur philosophie leur était pour ainsi dire étrangère. Voulant être plus savants que d'autres, ils étudiaient l'univers pour savoir comment il était arrangé, comme ils auraient étudié quelque machine qu'ils auraient aperçue, par pure curiosité. Ils étudiaient la nature humaine pour en pouvoir parler savamment, mais non pas pour se connaître; ils travaillaient pour instruire les autres, mais non pas pour s'éclairer en dedans. Plusieurs d'entre eux ne voulaient que faire un livre, n'importait quel, pourvu qu'il fût accueilli. Quand le leur était fait et publié, son contenu ne les intéressait plus en aucune sorte, si ce n'est pour le faire adopter aux autres et pour le défendre au cas qu'il fût attaqué, mais du reste sans en rien tirer pour leur propre usage, sans s'embarrasser même que ce contenu fût faux ou vrai pourvu qu'il ne fût pas réfuté. Pour moi, quand j'ai désiré d'apprendre, c'était pour savoir moi-même et non pas pour enseigner; j'ai toujours cru qu'avant d'instruire les autres il fallait commencer par savoir assez pour soi, et de toutes les études que j'ai tâché de faire en ma vie au milieu des hommes il n'y en a guère que je n'eusse faites également seul dans une île déserte où j'aurais été confiné pour le reste de mes jours. Ce qu'on doit faire dépend beaucoup de ce qu'on doit croire, et dans tout ce qui ne tient pas aux premiers besoins de la nature nos opinions sont la règle de nos actions. Dans ce principe, qui fut toujours le mien, j'ai cherché souvent et longtemps pour diriger l'emploi de ma vie à connaître sa véritable fin, et je me suis bientôt consolé de mon peu d'aptitude à me conduire habilement dans ce monde, en sentant qu'il n'y fallait pas chercher cette fin.

Né dans une famille où régnaient les mœurs et la piété, élevé ensuite avec douceur chez un ministre plein de sagesse et de religion, j'avais reçu dès ma plus tendre enfance des principes, des maximes, d'autres diraient des préjugés, qui ne m'ont jamais tout à fait abandonné. Enfant encore et livré à moi-même, alléché par des caresses, séduit par la vanité, leurré par l'espérance, forcé par la nécessité, je me fis catholique, mais je demeurai toujours chrétien, et bientôt gagné par l'habitude mon cœur s'attacha sincèrement à ma nouvelle religion. Les instructions, les exemples de madame de Warens m'affermirent dans cet attachement. La solitude champêtre où j'ai passé la fleur de ma jeunesse, l'étude des bons livres à laquelle je me livrai tout entier renforcèrent auprès d'elle mes dispositions naturelles aux sentiments affectueux, et me rendirent dévot presque à la manière de Fénelon. La méditation dans la retraite, l'étude de la nature, la contemplation de l'univers forcent un solitaire à s'élancer incessamment vers l'auteur des choses et à chercher avec une douce inquiétude la fin de tout ce qu'il voit et la cause de tout ce qu'il sent. Lorsque ma destinée me rejeta dans le torrent du monde je n'y retrouvai plus rien qui pût flatter un moment mon cœur. Le regret de mes doux loisirs me suivit partout et jeta l'indifférence et le dégoût sur tout ce qui pouvait se trouver à ma portée, propre à mener à la fortune et aux honneurs. Incertain dans mes inquiets désirs, j'espérai peu, j'obtins moins, et je sentis dans des lueurs même de prospérité que quand j'aurais obtenu tout ce que je croyais chercher je n'y aurais point trouvé ce bonheur dont mon cœur était avide sans en savoir démêler l'objet. Ainsi tout contribuait à détacher mes affections de ce monde, même avant les malheurs qui devaient m'y rendre tout à fait étranger. Je parvins jusqu'à l'âge de quarante ans flottant entre l'indigence et la fortune, entre la sagesse et l'égarement, plein de vices d'habitude sans aucun mauvais penchant dans le cœur, vivant au hasard sans principes bien décidés par ma raison, et distrait sur mes devoirs sans les mépriser, mais souvent sans les bien connaître.

Dès ma jeunesse j'avais fixé cette époque de quarante ans comme le terme de mes efforts pour parvenir et celui de mes prétentions en tout genre. Bien résolu, dès cet âge atteint et dans quelque situation que je fusse, de ne plus me débattre pour en sortir et de passer le reste de mes jours à vivre au jour la journée sans plus m'occuper de l'avenir. Le moment venu, j'exécutai ce projet sans peine et quoique alors ma fortune semblât vouloir prendre une assiette plus fixe j'y renonçai non seulement sans regret mais avec un plaisir véritable. En me délivrant de tous ces leurres, de toutes ces vaines espérances, je me livrai pleinement à l'incurie et au repos d'esprit qui fit toujours mon goût le plus dominant et mon penchant le plus durable. Je quittai le monde et ses pompes, je renonçai à toutes parures, plus d'épée, plus de montre, plus de bas blancs, de dorure, de coiffure, une perruque toute simple, un bon gros habit de drap, et mieux que tout cela, je déracinai de mon cœur les cupidités et les convoitises qui donnent du prix à tout ce que je quittais. Je renonçai à la place que j'occupais alors, pour laquelle je n'étais nullement propre, et je me mis à copier de la musique à tant la page, occupation pour laquelle j'avais eu toujours un goût décidé.

Je ne bornai pas ma réforme aux choses extérieures. Je sentis que celle-là même en exigeait une autre, plus pénible sans doute mais plus nécessaire, dans les opinions, et résolu de n'en pas faire à deux fois, j'entrepris de soumettre mon intérieur à un examen sévère qui le réglât pour le reste de ma vie tel que je voulais le trouver à ma mort.

Une grande révolution qui venait de se faire en moi, un autre monde moral qui se dévoilait à mes regards, les insensés jugements des hommes dont sans prévoir encore combien j'en serais la victime je commençais à sentir l'absurdité, le besoin toujours croissant d'un autre bien que la gloriole littéraire dont à peine la vapeur m'avait atteint que j'en étais déjà dégoûté, le désir enfin de tracer pour le reste de ma carrière une route moins incertaine que celle dans laquelle j'en venais de passer la plus belle moitié, tout m'obligeait à cette grande revue dont je sentais depuis longtemps le besoin. Je l'entrepris donc et je ne négligeai rien de ce qui dépendait de moi pour bien exécuter cette entreprise.

C'est de cette époque que je puis dater mon entier renoncement au monde et ce goût vif pour la solitude qui ne m'a plus quitté depuis ce temps-là. L'ouvrage que j'entreprenais ne pouvait s'exécuter que dans une retraite absolue; il demandait de longues et paisibles méditations que le tumulte de la société ne souffre pas. Cela me força de prendre pour un temps une autre manière de vivre dont ensuite je me trouvai si bien que, ne l'ayant interrompue depuis lors que par force et pour peu d'instants, je l'ai reprise de tout mon cœur et m'y suis borné sans peine aussitôt que je l'ai pu, et quand ensuite les hommes m'ont réduit à vivre seul, j'ai trouvé qu'en me séquestrant pour me rendre misérable ils avaient plus fait pour mon bonheur que je n'avais su faire moi-même.

Je me livrai au travail que j'avais entrepris avec un zèle proportionné et à l'importance de la chose et au besoin que je sentais en avoir. Je vivais alors avec des philosophes modernes qui ne ressemblaient guère aux anciens. Au lieu de lever mes doutes et de fixer mes irrésolutions, ils avaient ébranlé toutes les certitudes que je croyais avoir sur les points qu'il m'importait le plus de connaître : car, ardents missionnaires d'athéisme et très impérieux dogmatiques, ils n'enduraient point sans colère que sur quelque point que ce pût être on osât penser autrement qu'eux. Je m'étais défendu souvent assez faiblement par haine pour la dispute et par peu de talent pour la soutenir; mais jamais je n'adoptai leur désolante doctrine, et cette résistance à des hommes aussi intolérants, qui d'ailleurs avaient leurs vues, ne fut pas une des moindres causes qui attisèrent leur animosité.

Ils ne m'avaient pas persuadé mais ils m'avaient inquiété. Leurs arguments m'avaient ébranlé sans m'avoir jamais convaincu; je n'y trouvais point de bonne réponse mais je sentais qu'il y en devait avoir. Je m'accusais moins d'erreur que d'ineptie, et mon cœur leur répondait mieux que ma raison.

Je me dis enfin : Me laisserai-je éternellement ballotter par les sophismes des mieux disants, dont je ne suis pas même sûr que les opinions qu'ils prêchent et qu'ils ont tant d'ardeur à faire adopter aux autres soient bien les leurs à eux-mêmes? Leurs passions, qui gouvernent leur doctrine, leurs intérêts de faire croire ceci ou cela, rendent impossible à pénétrer ce qu'ils croient eux-mêmes. Peut-on chercher de la bonne foi dans des chefs de parti? Leur philosophie est pour les autres; il m'en faudrait une pour moi. Cherchons-la de toutes mes forces tandis qu'il est temps encore afin d'avoir une règle fixe de conduite pour le reste de mes jours. Me voilà dans la maturité de l'âge, dans toute la force de l'entendement. Déjà je touche au déclin. Si j'attends encore, je n'aurai plus dans ma délibération tardive l'usage de toutes mes forces; mes facultés intellectuelles auront déjà perdu de leur activité, je ferai moins bien ce que je puis faire aujourd'hui de mon mieux possible : saisissons ce moment favorable; il est l'époque de ma réforme externe et matérielle, qu'il soit aussi celle de ma réforme intellectuelle et morale. Fixons une bonne fois mes opinions, mes principes, et soyons pour le reste de ma vie ce que j'aurai trouvé devoir être après y avoir bien pensé.

J'exécutai ce projet lentement et à diverses reprises, mais avec tout l'effort et toute l'attention dont j'étais capable. Je sentais vivement que le repos du reste de mes jours et mon sort total en dépendaient. Je m'y trouvai d'abord dans un tel labyrinthe d'embarras, de difficultés, d'objections, de tortuosités, de ténèbres que, vingt fois tenté de tout abandonner, je fus près, renonçant à de vaines recherches, de m'en tenir dans mes délibérations aux règles de la prudence commune sans plus en chercher dans des principes que j'avais tant de peine à débrouiller. Mais cette prudence même m'était tellement étrangère, je me sentais si peu propre à l'acquérir que la prendre pour mon guide n'était autre chose que vouloir à travers les mers, les orages, chercher sans gouvernail, sans boussole, un fanal presque inaccessible et qui ne m'indiquait aucun port.

Je persistai : pour la première fois de ma vie j'eus du courage, et je dois à son succès d'avoir pu soutenir l'horrible destinée qui dès lors commençait à m'envelopper sans que j'en eusse le moindre soupçon. Après les recherches les plus ardentes et les plus sincères qui jamais peut-être aient été faites par aucun mortel, je me décidai pour toute ma vie sur tous les sentiments qu'il m'importait d'avoir, et si j'ai pu me tromper dans mes résultats, je suis sûr au moins que mon erreur ne peut m'être imputée à crime, car j'ai fait tous mes efforts pour m'en garantir. Je ne doute point, il est vrai, que les préjugés de l'enfance et les vœux secrets de mon cœur n'aient fait pencher la balance du côté le plus consolant pour moi. On se défend difficilement de croire ce qu'on désire avec tant d'ardeur, et qui peut douter que l'intérêt d'admettre ou rejeter les jugements de l'autre vie ne détermine la foi de la plupart des hommes sur leur espérance ou leur crainte? Tout cela pouvait fasciner mon jugement, j'en conviens, mais non pas altérer ma bonne foi : car je craignais de me tromper sur toute chose. Si tout consistait dans l'usage de cette vie, il m'importait de le savoir, pour en tirer du moins le meilleur parti qu'il dépendrait de moi tandis qu'il était encore temps, et n'être pas tout à fait dupe. Mais ce que j'avais le plus à redouter au monde dans la disposition où je me sentais était d'exposer le sort éternel de mon âme pour la jouissance des biens de ce monde, qui ne m'ont jamais paru d'un grand prix.

J'avoue encore que je ne levai pas toujours à ma satisfaction toutes ces difficultés qui m'avaient embarrassé, et dont nos philosophes avaient si souvent rebattu mes oreilles. Mais, résolu de me décider enfin sur des matières où l'intelligence humaine a si peu de prise et trouvant de toutes parts des mystères impénétrables et des objections insolubles, j'adoptai dans chaque question le sentiment qui me parut le mieux établi directement, le plus croyable en lui-même, sans m'arrêter aux objections que je ne pouvais résoudre mais qui se rétorquaient par d'autres objections non moins fortes dans le système opposé. Le ton dogmatique sur ces matières ne convient qu'à des charlatans; mais il importe d'avoir un sentiment pour soi, et de le choisir avec toute la maturité de jugement qu'on y peut mettre. Si malgré cela nous tombons dans l'erreur, nous n'en saurions porter la peine en bonne justice puisque nous n'en aurons point la coulpe. Voilà le principe inébranlable qui sert de base à ma sécurité.

Le résultat de mes pénibles recherches fut tel à peu près que je l'ai consigné depuis dans la *Profession de foi du Vicaire savoyard,* ouvrage indignement prostitué et profané dans la génération présente, mais qui peut faire un jour révolution parmi les hommes si jamais il y renaît du bon sens et de la bonne foi.

Depuis lors, resté tranquille dans les principes que j'avais adoptés après une méditation si longue et si réfléchie, j'en ai fait la règle immuable de ma conduite et de ma foi, sans plus m'inquiéter ni des objections que je n'avais pu résoudre ni de celles que je n'avais pu prévoir et qui se présentaient nouvellement de temps à autre à mon esprit. Elles m'ont inquiété quelquefois mais elles ne m'ont jamais ébranlé. Je me suis toujours dit : Tout cela ne sont que des arguties et des subtilités métaphysiques qui ne sont d'aucun poids auprès des principes fondamentaux adoptés par ma raison, confirmés par mon cœur, et qui tous portent le sceau de l'assentiment intérieur dans le silence des passions. Dans des matières si supérieures à l'entendement humain une objection que je ne puis résoudre renversera-t-elle tout un corps de doctrine si solide, si bien liée et formée avec tant de méditation et de soin, si bien appropriée à ma raison, à mon cœur, à tout mon être, et renforcée de l'assentiment intérieur que je sens manquer à toutes les autres? Non, de vaines argumentations ne détruiront jamais la convenance que j'aperçois entre ma nature immortelle et la constitution de ce monde et l'ordre physique que j'y vois régner. J'y trouve dans l'ordre moral correspondant et dont le système est le résultat de mes recherches les appuis dont j'ai besoin pour supporter les misères de ma vie. Dans tout autre système je vivrais sans ressource et je mourrais sans espoir. Je serais la plus malheureuse des créatures. Tenons-nous-en donc à celui qui seul suffit pour me rendre heureux en dépit de la fortune et des hommes.

Cette délibération et la conclusion que j'en tirai ne semblent-elles pas avoir été dictées par le ciel même pour me préparer à la destinée qui m'attendait et me mettre en état de la soutenir? Que serais-je devenu, que deviendrais-je encore, dans les angoisses affreuses qui m'attendaient et dans l'incroyable situation où je suis réduit pour le reste de ma vie, si, resté sans asile où je pusse échapper à mes implacables persécuteurs, sans dédommagement des opprobres qu'ils me font essuyer en ce monde et sans espoir d'obtenir jamais la justice qui m'était due, je m'étais vu livré tout entier au plus horrible sort qu'ait éprouvé sur la terre aucun mortel? Tandis que, tranquille dans mon innocence, je n'imaginais qu'estime et bienveillance pour moi parmi les hommes, tandis que mon cœur ouvert et confiant s'épanchait avec des amis et des frères, les traîtres m'enlaçaient en silence de rets forgés au fond des enfers. Surpris par les plus imprévus de tous les malheurs et les plus terribles pour une âme fière, traîné dans la fange sans jamais savoir par qui ni pourquoi, plongé dans un abîme d'ignominie, enveloppé d'horribles ténèbres à travers lesquelles je n'apercevais que de sinistres objets, à la première surprise je fus terrassé, et jamais je ne serais revenu de l'abattement où me jeta ce genre imprévu de malheurs si je ne m'étais ménagé d'avance des forces pour me relever dans mes chutes.

Ce ne fut qu'après des années d'agitations que, reprenant enfin mes esprits et commençant de rentrer en moi-même, je sentis le prix des ressources que je m'étais ménagées pour l'adversité. Décidé sur toutes les choses dont il m'importait de juger, je vis, en comparant mes maximes à ma situation, que je donnais aux insensés jugements des hommes et aux petits événements de cette courte vie beaucoup plus d'importance qu'ils n'en avaient. Que cette vie n'étant qu'un état d'épreuves, il importait peu que ces épreuves fussent de telle ou telle sorte pourvu qu'il en résultât l'effet auquel elles étaient destinées, et que par conséquent plus les épreuves étaient grandes, fortes, multipliées, plus il était avantageux de les savoir soutenir. Toutes les plus vives peines perdent leur force pour quiconque en voit le dédommagement grand et sûr; et la certitude de ce dédommagement était le principal fruit que j'avais retiré de mes méditations précédentes.

Il est vrai qu'au milieu des outrages sans nombre et des indignités sans mesure dont je me sentais accablé de toutes parts, des intervalles d'inquiétude et de doutes venaient de temps à autre ébranler mon espérance et troubler ma tranquillité. Les puissantes objections que je n'avais pu résoudre se présentaient alors à mon esprit avec plus de force pour achever de m'abattre précisément dans les moments où, surchargé du poids de ma destinée, j'étais prêt à tomber dans le découragement. Souvent des arguments nouveaux que j'entendais faire me revenaient dans l'esprit à l'appui de ceux qui m'avaient déjà tourmenté. Ah! me disais-je alors dans des serrements de cœur prêts à m'étouffer, qui me garantira du désespoir si dans l'horreur de mon sort je ne vois plus que des chimères dans les consolations que me fournissait ma raison? si, détruisant ainsi son propre ouvrage, elle renverse tout l'appui d'espérance et de confiance qu'elle m'avait ménagé dans l'adversité? Quel appui que des illusions qui ne bercent que moi seul au monde? Toute la génération présente ne voit qu'erreurs et préjugés dans les sentiments dont je me nourris seul; elle trouve la vérité, l'évidence, dans le système contraire au mien; elle semble même ne pouvoir croire que je l'adopte de bonne foi, et moi-même en m'y livrant de toute ma volonté j'y trouve des difficultés insurmontables qu'il m'est impossible de résoudre et qui ne m'empêchent pas d'y persister. Suis-je donc seul sage, seul éclairé parmi les mortels? Pour croire que les choses sont ainsi suffit-il qu'elles me conviennent? Puis-je prendre une confiance éclairée en des apparences qui n'ont rien de solide aux yeux du reste des hommes et qui me sembleraient même illusoires à moi-même si mon cœur ne soutenait pas ma raison? N'eût-il pas mieux valu combattre mes persécuteurs à armes égales en adoptant leurs maximes que de rester sur les chimères des miennes en proie à leurs atteintes sans agir pour les repousser? Je me crois sage et je ne suis que dupe, victime et martyr d'une vaine erreur.

Combien de fois dans ces moments de doute et d'incertitude je fus prêt à m'abandonner au désespoir! Si jamais j'avais passé dans cet état un mois entier, c'etait fait de ma vie et de moi. Mais ces crises, quoique autrefois assez fréquentes, ont toujours été courtes, et maintenant que je n'en suis pas délivré tout à fait encore elles sont si rares et si rapides qu'elles n'ont pas même la force de troubler mon repos. Ce sont de légères inquiétudes qui n'affectent pas plus mon âme qu'une plume qui tombe dans la rivière ne peut altérer le cours de l'eau. J'ai senti que remettre en délibération les mêmes points sur lesquels je m'étais ci-devant décidé était me supposer de nouvelles lumières ou le jugement plus formé ou plus de zèle pour la vérité que je n'avais lors de mes recherches, qu'aucun de ces cas n'étant ni ne pouvant être le mien, je ne pouvais préférer par aucune raison solide des opinions qui dans l'accablement du désespoir ne me tentaient que pour augmenter ma misère, à des sentiments adoptés dans la vigueur de l'âge, dans toute la maturité de l'esprit, après l'examen le plus réfléchi, et dans des temps où le calme de ma vie ne me laissait d'autre intérêt dominant que celui de connaître la vérité. Aujourd'hui que mon cœur serré de détresse, mon âme affaissée par les ennuis, mon imagination effarouchée, ma tête troublée par tant d'affreux mystères dont je suis environné, aujourd'hui que toutes mes facultés, affaiblies par la vieillesse et les angoisses, ont perdu tout leur ressort, irai-je m'ôter à plaisir toutes les ressources que je m'étais ménagées, et donner plus de confiance à ma raison déclinante pour me rendre injustement malheureux, qu'à ma raison pleine et vigoureuse pour me dédommager des maux que je souffre sans les avoir mérités? Non, je ne suis ni plus sage, ni mieux instruit, ni de meilleure foi que quand je me décidai sur ces grandes questions, je n'ignorais pas alors les difficultés dont je me laisse troubler aujourd'hui; elles ne m'arrêtèrent pas, et s'il s'en présente quelques nouvelles dont on ne s'était pas encore avisé, ce sont les sophismes d'une subtile métaphysique qui ne sauraient balancer les vérités éternelles admises de tous les temps, par tous les sages, reconnues par toutes les nations et gravées dans le cœur humain en caractères ineffaçables. Je savais en méditant sur ces matières que l'entendement humain circonscrit par les sens ne les pouvait embrasser dans toute leur étendue. Je m'en tins donc à ce qui était à ma portée sans m'engager dans ce qui la passait. Ce parti était raisonnable, je l'embrassai jadis, et m'y tins avec l'assentiment de mon cœur et de ma raison. Sur quel fondement y renoncerais-je aujourd'hui que tant de puissants motifs m'y doivent tenir attaché? Quel danger vois-je à le suivre? Quel profit trouverais-je à l'abandonner? En prenant la doctrine de mes persécuteurs, prendrais-je aussi leur morale? Cette morale sans racine et sans fruit qu'ils étalent pompeusement dans des livres ou dans quelque action d'éclat sur le théâtre, sans qu'il en pénètre jamais rien dans le cœur ni dans la raison; ou bien cette autre morale secrète et cruelle, doctrine intérieure de tous leurs initiés, à laquelle l'autre ne sert que de masque, qu'ils suivent seule dans leur conduite et qu'ils ont si habilement pratiquée à mon égard. Cette morale, purement offensive, ne sert point à la défense et n'est bonne qu'à l'agression. De quoi me servirait-elle dans l'état où ils m'ont réduit? Ma seule innocence me soutient dans les malheurs, et combien me rendrais-je plus malheureux encore, si m'ôtant cette unique mais puissante ressource, j'y substituais la méchanceté? Les atteindrais-je dans l'art de nuire, et quand j'y réussirais, de quel mal me soulagerait celui que je leur pourrais faire? Je perdrais ma propre estime et je ne gagnerais rien à la place.

C'est ainsi que raisonnant avec moi-même je parvins à ne plus me laisser ébranler dans mes principes par des arguments captieux, par des objections insolubles et par des difficultés qui passaient ma portée et peut-être celle de l'esprit humain. Le mien, restant dans la plus solide assiette que j'avais pu lui donner, s'accoutuma si bien à s'y reposer à l'abri de ma conscience qu'aucune doctrine étrangère ancienne ou nouvelle ne peut plus l'émouvoir, ni troubler un instant mon repos. Tombé dans la langueur et l'appesantissement d'esprit, j'ai oublié jusqu'aux raisonnements sur lesquels je fondais ma croyance et mes maximes, mais je n'oublierai jamais les conclusions que j'en ai tirées avec l'approbation de ma conscience et de ma raison, et je m'y tiens désormais. Que tous les philosophes viennent ergoter contre : ils perdront leur temps et leurs peines. Je me tiens pour le reste de ma vie en toute chose au parti que j'ai pris quand j'étais plus en état de bien choisir.

Tranquille dans ces dispositions, j'y trouve, avec le contentement de moi, l'espérance et les consolations dont j'ai besoin dans ma situation. Il n'est pas possible qu'une solitude aussi complète, aussi permanente, aussi triste en elle-même, l'animosité toujours sensible et toujours active de toute la génération présente, les indignités dont elle m'accable sans cesse, ne me jettent quelquefois dans l'abattement; l'espérance ébranlée, les doutes décourageants reviennent encore de temps à autre troubler mon âme et la remplir de tristesse. C'est alors qu'incapable des opérations de l'esprit nécessaires pour me rassurer moi-même, j'ai besoin de me rappeler mes anciennes résolutions; les soins, l'attention, la sincérité de cœur que j'ai mis à les prendre reviennent alors à mon souvenir et me rendent toute ma confiance. Je me refuse ainsi à toutes nouvelles idées comme à des erreurs funestes qui n'ont qu'une fausse apparence et ne sont bonnes qu'à troubler mon repos.

Ainsi retenu dans l'étroite sphère de mes anciennes connaissances, je n'ai pas, comme Solon, le bonheur de pouvoir m'instruire chaque jour en vieillissant, et je dois même me garantir du dangereux orgueil de vouloir apprendre ce que je suis désormais hors d'état de bien savoir. Mais s'il me reste peu d'acquisitions à espérer du côté des lumières utiles, il m'en reste de bien importantes à faire du côté des vertus nécessaires à mon état. C'est là qu'il serait temps d'enrichir et d'orner mon âme d'un acquis qu'elle pût emporter avec elle, lorsque, délivrée de ce corps qui l'offusque et l'aveugle, et voyant la vérité sans voile, elle apercevra la misère de toutes ces connaissances dont nos faux savants sont si vains. Elle gémira des moments perdus en cette vie à les vouloir acquérir. Mais la patience, la douceur, la résignation, l'intégrité, la justice impartiale sont un bien qu'on emporte avec soi, et dont on peut s'enrichir sans cesse, sans craindre que la mort même nous en fasse perdre le prix. C'est à cette unique et utile étude que je consacre le reste de ma vieillesse. Heureux si par mes progrès sur moi-même j'apprends à sortir de la vie, non meilleur, car cela n'est pas possible, mais plus vertueux que je n'y suis entré.

QUATRIÈME PROMENADE

DANS le petit nombre de livres que je lis quelquefois encore, Plutarque est celui qui m'attache et me profite le plus. Ce fut la première lecture de mon enfance, ce sera la dernière de ma vieillesse; c'est presque le seul auteur que je n'ai jamais lu sans en tirer quelque fruit. Avant-hier, je lisais dans ses œuvres morales le traité *Comment on pourra tirer utilité de ses ennemis*. Le même jour, en rangeant quelques brochures qui m'ont été envoyées par les auteurs, je tombai sur un des journaux de l'abbé Rosier, au titre duquel il avait mis ces paroles : *Vitam vero impendenti,* Rosier. Trop au fait des tournures de ces messieurs pour prendre le change sur celle-là, je compris qu'il avait cru sous cet air de politesse me dire une cruelle contre-vérité : mais sur quoi fondé? Pourquoi ce sarcasme? Quel sujet y pouvais-je avoir donné? Pour mettre à profit les leçons du bon Plutarque je résolus d'employer à m'examiner sur le mensonge la promenade du lendemain, et j'y vins bien confirmé dans l'opinion déjà prise que le *Connais-toi toi-même* du temple de Delphes n'était pas une maxime si facile à suivre que je l'avais cru dans mes *Confessions*.

Le lendemain, m'étant mis en marche pour exécuter cette résolution, la première idée qui me vint en commençant à me recueillir fut celle d'un mensonge affreux fait dans ma première jeunesse, dont le souvenir m'a troublé toute ma vie et vient, jusque dans ma vieillesse, contrister encore mon cœur déjà navré de tant d'autres façons. Ce mensonge, qui fut un grand crime en lui-même, en dut être un plus grand encore par ses effets que j'ai toujours ignorés, mais que le remords m'a fait supposer aussi cruels qu'il était possible. Cependant, à ne considérer que la disposition où j'étais en le faisant, ce mensonge ne fut qu'un fruit de la mauvaise honte, et bien loin qu'il partît d'une intention de nuire à celle qui en fut la victime, je puis jurer à la face du ciel qu'à l'instant même où cette honte invincible me l'arrachait j'aurais donné tout mon sang avec joie pour en détourner l'effet sur moi seul. C'est un délire que je ne puis expliquer qu'en disant comme je le crois sentir qu'en cet instant mon naturel timide subjugua tous les vœux de mon cœur.

Le souvenir de ce malheureux acte et les inextinguibles regrets qu'il m'a laissés m'ont inspiré pour le mensonge une horreur qui a dû garantir mon cœur de ce vice pour le reste de ma vie. Lorsque je pris ma devise, je me sentais fait pour la mériter, et je ne doutais pas que je n'en fusse digne quand sur le mot de l'abbé

Rosier je commençai de m'examiner plus sérieusement.

Alors, en m'épluchant avec plus de soin, je fus bien surpris du nombre de choses de mon invention que je me rappelais avoir dites comme vraies dans le même temps où, fier en moi-même de mon amour pour la vérité, je lui sacrifiais ma sûreté, mes intérêts, ma personne avec une impartialité dont je ne connais nul autre exemple parmi les humains.

Ce qui me surprit le plus était qu'en me rappelant ces choses controuvées, je n'en sentais aucun vrai repentir. Moi dont l'horreur pour la fausseté n'a rien dans mon cœur qui la balance, moi qui braverais les supplices s'il les fallait éviter par un mensonge, par quelle bizarre inconséquence mentais-je ainsi de gaieté de cœur sans nécessité, sans profit, et par quelle inconcevable contradiction n'en sentais-je pas le moindre regret, moi que le remords d'un mensonge n'a cessé d'affliger pendant cinquante ans? Je ne me suis jamais endurci sur mes fautes; l'instinct moral m'a toujours bien conduit, ma conscience a gardé sa première intégrité, et quand même elle se serait altérée en se pliant à mes intérêts, comment, gardant toute sa droiture dans les occasions où l'homme forcé par ses passions peut au moins s'excuser sur sa faiblesse, la perd-elle uniquement dans les choses indifférentes où le vice n'a point d'excuse? Je vis que de la solution de ce problème dépendait la justesse du jugement que j'avais à porter en ce point sur moi-même, et après l'avoir bien examiné voici de quelle manière je parvins à me l'expliquer.

Je me souviens d'avoir lu dans un livre de philosophie que mentir c'est cacher une vérité que l'on doit manifester. Il suit bien de cette définition que taire une vérité qu'on n'est pas obligé de dire n'est pas mentir; mais celui qui non content en pareil cas de ne pas dire la vérité dit le contraire, ment-il alors, ou ne ment-il pas? Selon la définition, l'on ne saurait dire qu'il ment; car s'il donne de la fausse monnaie à un homme auquel il ne doit rien, il trompe cet homme, sans doute, mais il ne le vole pas.

Il se présente ici deux questions à examiner, très importantes l'une et l'autre. La première, quand et comment on doit à autrui la vérité, puisqu'on ne la doit pas toujours. La seconde, s'il est des cas où l'on puisse tromper innocemment. Cette seconde question est très décidée, je le sais bien; négativement dans les livres, où la plus austère morale ne coûte rien à l'auteur, affirmativement dans la société où la morale des livres passe pour un bavardage impossible à pratiquer. Laissons donc ces autorités qui se contredisent, et cherchons par mes propres principes à résoudre pour moi ces questions.

La vérité générale et abstraite est le plus précieux de tous les biens. Sans elle l'homme est aveugle; elle est l'œil de la raison. C'est par elle que l'homme apprend à se conduire, à être ce qu'il doit être, à faire ce qu'il doit faire, à tendre à sa véritable fin. La vérité particulière et individuelle n'est pas toujours un bien, elle est quelquefois un mal, très souvent une chose indifférente. Les choses qu'il importe à un homme de savoir et dont la connaissance est nécessaire à son bonheur ne sont peut-être pas en grand nombre; mais en quelque nombre qu'elles soient elles sont un bien qui lui appartient, qu'il a droit de réclamer partout où il le trouve, et dont on ne peut le frustrer sans commettre le plus inique de tous les vols, puisqu'elle est de ces biens communs à tous dont la communication n'en prive point celui qui le donne.

Quant aux vérités qui n'ont aucune sorte d'utilité ni pour l'instruction ni dans la pratique, comment seraient-elles un bien dû, puisqu'elles ne sont pas même un bien? et puisque la propriété n'est fondée que sur l'utilité, où il n'y a point d'utilité possible il ne peut y avoir de propriété. On peut réclamer un terrain quoique stérile parce qu'on peut au moins habiter sur le sol : mais qu'un fait oiseux, indifférent à tous égards et sans conséquence pour personne, soit vrai ou faux, cela n'intéresse qui que ce soit. Dans l'ordre moral rien n'est inutile non plus que dans l'ordre physique. Rien ne peut être dû de ce qui n'est bon à rien, pour qu'une chose soit due il faut qu'elle soit ou puisse être utile. Ainsi, la vérité due est celle qui intéresse la justice, et c'est profaner ce nom sacré de vérité que de l'appliquer aux choses vaines dont l'existence est indifférente à tous, et dont la connaissance est inutile à tout. La vérité dépouillée de toute espèce d'utilité même possible ne peut donc pas être une chose due, et par conséquent celui qui la tait ou la déguise ne ment point.

Mais est-il de ces vérités si parfaitement stériles

qu'elles soient de tout point inutiles à tout, c'est un autre article à discuter et auquel je reviendrai tout à l'heure. Quant à présent, passons à la seconde question.

Ne pas dire ce qui est vrai et dire ce qui est faux sont deux choses très différentes, mais dont peut néanmoins résulter le même effet; car ce résultat est assurément bien le même toutes les fois que cet effet est nul. Partout où la vérité est indifférente l'erreur contraire est indifférente aussi; d'où il suit qu'en pareil cas celui qui trompe en disant le contraire de la vérité n'est pas plus injuste que celui qui trompe en ne la déclarant pas; car en fait de vérités inutiles, l'erreur n'a rien de pire que l'ignorance. Que je croie le sable qui est au fond de la mer blanc ou rouge, cela ne n'importe pas plus que d'ignorer de quelle couleur il est. Comment pourrait-on être injuste en ne nuisant à personne, puisque l'injustice ne consiste que dans le tort fait à autrui?

Mais ces questions ainsi sommairement décidées ne sauraient me fournir encore aucune application sûre pour la pratique, sans beaucoup d'éclaircissements préalables nécessaires pour faire avec justesse cette application dans tous les cas qui peuvent se présenter. Car si l'obligation de dire la vérité n'est fondée que sur son utilité, comment me constituerai-je juge de cette utilité? Très souvent l'avantage de l'un fait le préjudice de l'autre, l'intérêt particulier est presque toujours en opposition avec l'intérêt public. Comment se conduire en pareil cas? Faut-il sacrifier l'utilité de l'absent à celle de la personne à qui l'on parle? Faut-il taire ou dire la vérité qui profitant à l'un nuit à l'autre? Faut-il peser tout ce qu'on doit dire à l'unique balance du bien public ou à celle de la justice distributive, et suis-je assuré de connaître assez tous les rapports de la chose pour ne dispenser les lumières dont je dispose que sur les règles de l'équité? De plus, en examinant ce qu'on doit aux autres, ai-je examiné suffisamment ce qu'on se doit à soi-même, ce qu'on doit à la vérité pour elle seule? Si je ne fais aucun tort à un autre en le trompant, s'ensuit-il que je ne m'en fasse point à moi-même, et suffit-il de n'être jamais injuste pour être toujours innocent?

Que d'embarrassantes discussions dont il serait aisé de se tirer en se disant : Soyons toujours vrais au risque de tout ce qui en peut arriver. La justice elle-même est dans la vérité des choses; le mensonge est toujours iniquité, l'erreur est toujours imposture, quand on donne ce qui n'est pas pour la règle de ce qu'on doit faire ou croire : et quelque effet qui résulte de la vérité on est toujours inculpable quand on l'a dite, parce qu'on n'y a rien mis du sien.

Mais c'est là trancher la question sans la résoudre. Il ne s'agissait pas de prononcer s'il serait bon de dire toujours la vérité, mais si l'on y était toujours également obligé, et sur la définition que j'examinais supposant que non, de distinguer les cas où la vérité est rigoureusement due, de ceux où l'on peut la taire sans injustice et la déguiser sans mensonge : car j'ai trouvé que de tels cas existaient réellement. Ce dont il s'agit est donc de chercher une règle sûre pour les connaître et les bien déterminer.

Mais d'où tirer cette règle et la preuve de son infaillibilité? Dans toutes les questions de morale difficiles comme celle-ci, je me suis toujours bien trouvé de les résoudre par le dictamen de ma conscience, plutôt que par les lumières de ma raison. Jamais l'instinct moral ne m'a trompé : il a gardé jusqu'ici sa pureté dans mon cœur assez pour que je puisse m'y confier, et s'il se tait quelquefois devant mes passions dans ma conduite, il reprend bien son empire sur elles dans mes souvenirs. C'est là que je me juge moi-même avec autant de sévérité peut-être que je serai jugé par le souverain juge après cette vie.

Juger des discours des hommes par les effets qu'ils produisent, c'est souvent mal les apprécier. Outre que ces effets ne sont pas toujours sensibles et faciles à connaître, ils varient à l'infini comme les circonstances dans lesquelles ces discours sont tenus. Mais c'est uniquement l'intention de celui qui les tient qui les apprécie et détermine leur degré de malice ou de bonté. Dire faux n'est mentir que par l'intention de tromper, et l'intention même de tromper, loin d'être toujours jointe avec celle de nuire, a quelquefois un but tout contraire. Mais pour rendre un mensonge innocent il ne suffit pas que l'intention de nuire ne soit pas expresse, il faut de plus la certitude que l'erreur dans laquelle on jette ceux à qui l'on parle ne peut nuire à eux ni à personne en quelque façon que ce soit. Il est rare et difficile qu'on puisse avoir cette certitude;

aussi est-il difficile et rare qu'un mensonge soit parfaitement innocent. Mentir pour son avantage à soi-même est imposture, mentir pour l'avantage d'autrui est fraude, mentir pour nuire est calomnie; c'est la pire espèce de mensonge. Mentir sans profit ni préjudice de soi ni d'autrui n'est pas mentir : ce n'est pas mensonge, c'est fiction.

Les fictions qui ont un objet moral s'appellent apologues ou fables, et comme leur objet n'est ou ne doit être que d'envelopper des vérités utiles sous des formes sensibles et agréables, en pareil cas on ne s'attache guère à cacher le mensonge de fait qui n'est que l'habit de la vérité, et celui qui ne débite une fable que pour une fable ne ment en aucune façon.

Il est d'autres fictions purement oiseuses, telles que sont la plupart des contes et des romans qui, sans renfermer aucune instruction véritable, n'ont pour objet que l'amusement. Celles-là, dépouillées de toute utilité morale, ne peuvent s'apprécier que par l'intention de celui qui les invente, et lorsqu'il les débite avec affirmation comme des vérités réelles on ne peut guère disconvenir qu'elles ne soient de vrais mensonges. Cependant, qui jamais s'est fait un grand scrupule de ces mensonges-là, et qui jamais en a fait un reproche grave à ceux qui les font? S'il y a par exemple quelque objet moral dans *le Temple de Gnide,* cet objet est bien offusqué et gâté par les détails voluptueux et par les images lascives. Qu'a fait l'auteur pour couvrir cela d'un vernis de modestie? Il a feint que son ouvrage était la traduction d'un manuscrit grec, et il a fait l'histoire de la découverte de ce manuscrit de la façon la plus propre à persuader ses lecteurs de la vérité de son récit. Si ce n'est pas là un mensonge bien positif, qu'on me dise donc ce que c'est que mentir. Cependant, qui est-ce qui s'est avisé de faire à l'auteur un crime de ce mensonge et de le traiter pour cela d'imposteur ?

On dira vainement que ce n'est là qu'une plaisanterie, que l'auteur tout en affirmant ne voulait persuader personne, qu'il n'a persuadé personne en effet, et que le public n'a pas douté un moment qu'il ne fût lui-même l'auteur de l'ouvrage prétendu grec dont il se donnait pour le traducteur. Je répondrai qu'une pareille plaisanterie sans aucun objet n'eût été qu'un bien sot enfantillage, qu'un menteur ne ment pas moins quand il affirme quoiqu'il ne persuade pas, qu'il faut détacher du public instruit des multitudes de lecteurs simples et crédules à qui l'histoire du manuscrit narrée par un auteur grave avec un air de bonne foi en a réellement imposé, et qui ont bu sans crainte dans une coupe de forme antique le poison dont ils se seraient au moins défiés s'il leur eût été présenté dans un vase moderne.

Que ces distinctions se trouvent ou non dans les livres, elles ne s'en font pas moins dans le cœur de tout homme de bonne foi avec lui-même, qui ne veut rien se permettre que sa conscience puisse lui reprocher. Car dire une chose fausse à son avantage n'est pas moins mentir que si on la disait au préjudice d'autrui, quoique le mensonge soit moins criminel. Donner l'avantage à qui ne doit pas l'avoir, c'est troubler l'ordre de la justice, attribuer faussement à soi-même ou à autrui un acte d'où peut résulter louange ou blâme, inculpation ou disculpation, c'est faire une chose injuste; or tout ce qui, contraire à la vérité, blesse la justice en quelque façon que ce soit, est mensonge. Voilà la limite exacte : mais tout ce qui, contraire à la vérité, n'intéresse la justice en aucune sorte, n'est que fiction, et j'avoue que quiconque se reproche une pure fiction comme un mensonge a la conscience plus délicate que moi.

Ce qu'on appelle mensonges officieux sont de vrais mensonges, parce qu'en imposer à l'avantage soit d'autrui soit de soi-même n'est pas moins injuste que d'en imposer à son détriment. Quiconque loue ou blâme contre la vérité ment, dès qu'il s'agit d'une personne réelle. S'il s'agit d'un être imaginaire il en peut dire tout ce qu'il veut sans mentir, à moins qu'il ne juge sur la moralité des faits qu'il invente et qu'il n'en juge faussement : car alors s'il ne ment pas dans le fait, il ment contre la vérité morale, cent fois plus respectable que celle des faits.

J'ai vu de ces gens qu'on appelle vrais dans le monde. Toute leur véracité s'épuise dans les conversations oiseuses à citer fidèlement les lieux, les temps, les personnes, à ne se permettre aucune fiction, à ne broder aucune circonstance, à ne rien exagérer. En tout ce qui ne touche point à leur intérêt ils sont dans leurs narrations de la plus inviolable fidélité. Mais s'agit-il de traiter quelque affaire qui les regarde, de narrer quelque fait qui leur touche de près, toutes les couleurs sont employées pour présenter les choses sous le jour qui leur est le plus avantageux, et si le mensonge leur est utile et qu'ils s'abstiennent de le dire eux-mêmes, ils le favorisent avec adresse et font en sorte qu'on l'adopte sans le leur pouvoir imputer. Ainsi le veut la prudence : adieu la véracité.

L'homme que j'appelle *vrai* fait tout le contraire. En choses parfaitement indifférentes la vérité qu'alors l'autre respecte si fort le touche fort peu, et il ne se fera guère de scrupule d'amuser une compagnie par des faits controuvés dont il ne résulte aucun jugement injuste ni pour ni contre qui que ce soit, vivant ou mort. Mais tout discours qui produit pour quelqu'un profit ou dommage, estime ou mépris, louange ou blâme contre la justice et la vérité est un mensonge qui jamais n'approchera de son cœur, ni de sa bouche, ni de sa plume. Il est solidement *vrai,* même contre son intérêt, quoiqu'il se pique assez peu de l'être dans les conversations oiseuses. Il est *vrai* en ce qu'il ne cherche à tromper personne, qu'il est aussi fidèle à la vérité qui l'accuse qu'à celle qui l'honore, et qu'il n'en impose jamais pour son avantage ni pour nuire à son ennemi. La différence donc qu'il y a entre mon homme *vrai* et l'autre est que celui du monde est très rigoureusement fidèle à toute vérité qui ne lui coûte rien, mais pas au-delà, et que le mien ne la sert jamais si fidèlement que quand il faut s'immoler pour elle.

Mais, dirait-on, comment accorder ce relâchement avec cet ardent amour pour la vérité dont je le glorifie? Cet amour est donc faux puisqu'il souffre tant d'alliage?

Non, il est pur et vrai : mais il n'est qu'une émanation de l'amour de la justice et ne veut jamais être faux quoiqu'il soit souvent fabuleux. Justice et vérité sont dans son esprit deux mots synonymes qu'il prend l'un pour l'autre indifféremment. La sainte vérité que son cœur adore ne consiste point en faits indifférents et en noms inutiles, mais à rendre fidèlement à chacun ce qui lui est dû en choses qui sont véritablement siennes, en imputations bonnes ou mauvaises, en rétributions d'honneur ou de blâme, de louange ou d'improbation. Il n'est faux ni contre autrui, parce que son équité l'en empêche et qu'il ne veut nuire à personne injustement, ni pour lui-même, parce que sa conscience l'en empêche et qu'il ne saurait s'approprier ce qui n'est pas à lui. C'est surtout de sa propre estime qu'il est jaloux; c'est le bien dont il peut le moins se passer, et il sentirait une perte réelle d'acquérir celle des autres aux dépens de ce bien-là. Il mentira donc quelquefois en choses indifférentes sans scrupule et sans croire mentir, jamais pour le dommage ou le profit d'autrui ni de lui-même. En tout ce qui tient aux vérités historiques, en tout ce qui a trait à la conduite des hommes, à la justice, à la sociabilité, aux lumières utiles, il garantira de l'erreur et lui-même et les autres autant qu'il dépendra de lui. Tout mensonge hors de là selon lui n'en est pas un. Si *le Temple de Gnide* est un ouvrage utile, l'histoire du manuscrit grec n'est qu'une fiction très innocente; elle est un mensonge très punissable si l'ouvrage est dangereux.

Telles furent mes règles de conscience sur le mensonge et sur la vérité. Mon cœur suivait machinalement ces règles avant que ma raison les eût adoptées, et l'instinct moral en fit seul l'application. Le criminel mensonge dont la pauvre Marion fut la victime m'a laissé d'ineffaçables remords qui m'ont garanti tout le reste de ma vie non seulement de tout mensonge de cette espèce, mais de tous ceux qui, de quelque façon que ce pût être, pouvaient toucher l'intérêt et la réputation d'autrui. En généralisant ainsi l'exclusion je me suis dispensé de peser exactement l'avantage et le préjudice, et de marquer les limites précises du mensonge nuisible et du mensonge officieux; en regardant l'un et l'autre comme coupables, je me les suis interdits tous les deux.

En ceci comme en tout le reste mon tempérament a beaucoup influé sur mes maximes, ou plutôt sur mes habitudes; car je n'ai guère agi par règle ou n'ai guère suivi d'autres règles en toute chose que les impulsions de mon naturel. Jamais mensonge prémédité n'approcha de ma pensée, jamais je n'ai menti pour mon intérêt; mais souvent j'ai menti par honte, pour me tirer d'embarras en choses indifférentes ou qui n'intéressaient tout au plus que moi seul, lorsqu'ayant à soutenir un entretien la lenteur de mes idées et l'aridité de ma conversation me forçaient de recourir aux fictions pour avoir quelque chose à dire. Quand il faut nécessairement parler et que des vérités amusantes ne se présentent pas assez tôt à mon esprit, je débite des fables pour ne pas demeurer muet; mais dans l'invention de ces fables j'ai soin, tant que je puis, qu'elles ne soient pas des mensonges, c'est-à-dire qu'elles ne blessent ni la justice ni la vérité due et qu'elles ne soient que des fictions indifférentes à tout le monde et à moi. Mon désir serait bien d'y substituer au moins à la vérité des faits une vérité morale; c'est-à-dire d'y bien représenter les affections naturelles au cœur humain, et d'en faire sortir toujours quelque instruction utile, d'en faire en un mot des contes moraux, des apologues; mais il faudrait plus de présence d'esprit que je n'en ai et plus de facilité dans la parole pour savoir mettre à profit pour l'instruction le babil de la conversation. Sa marche, plus rapide que celle de mes idées, me forçant presque toujours de parler avant de penser, m'a souvent suggéré des sottises et des inepties que ma raison désapprouvait et que mon cœur désavouait à mesure qu'elles échappaient de ma bouche, mais qui, précédant mon propre jugement, ne pouvaient plus être réformées par sa censure.

C'est encore par cette première et irrésistible impulsion du tempérament que dans des moments imprévus et rapides la honte et la timidité m'arrachent souvent des mensonges auxquels ma volonté n'a point de part, mais qui la précèdent en quelque sorte par la nécessité de répondre à l'instant. L'impression profonde du souvenir de la pauvre Marion peut bien retenir toujours ceux qui pourraient être nuisibles à d'autres, mais non pas ceux qui peuvent servir à me tirer d'embarras quand il s'agit de moi seul, ce qui n'est pas moins contre ma conscience et mes principes que ceux qui peuvent influer sur le sort d'autrui.

J'atteste le ciel que si je pouvais l'instant d'après retirer le mensonge qui m'excuse et dire la vérité qui me charge sans me faire un nouvel affront en me rétractant, je le ferais de tout mon cœur; mais la honte de me prendre ainsi moi-même en faute me retient encore, et je me repens très sincèrement de ma faute, sans néanmoins l'oser réparer. Un exemple expliquera mieux ce que je veux dire et montrera que je ne mens ni par intérêt ni par amour-propre, encore moins par envie ou par malignité : mais uniquement par embarras et mauvaise honte, sachant même très bien quelquefois que ce mensonge est connu pour tel et ne peut me servir du tout à rien.

Il y a quelque temps que M. Foulquier m'engagea contre mon usage à aller avec ma femme dîner en manière de pique-nique avec lui et son ami Benoit chez la dame Vacassin, restauratrice, laquelle et ses deux filles dînèrent aussi avec nous. Au milieu du dîner, l'aînée, qui est mariée depuis peu et qui était grosse, s'avisa de me demander brusquement et en me fixant si j'avais eu des enfants. Je répondis en rougissant jusqu'aux yeux que je n'avais pas eu ce bonheur. Elle sourit malignement en regardant la compagnie : tout cela n'était pas bien obscur, même pour moi.

Il est clair d'abord que cette réponse n'est point celle que j'aurais voulu faire, quand même j'aurais eu l'intention d'en imposer; car dans la disposition où je voyais les convives j'étais bien sûr que ma réponse ne changeait rien à leur opinion sur ce point. On s'attendait à cette négative, on la provoquait même pour jouir du plaisir de m'avoir fait mentir. Je n'étais pas assez bouché pour ne pas sentir cela. Deux minutes après, la réponse que j'aurais dû faire me vint d'elle-même. *Voilà une question peu discrète de la part d'une jeune femme à un homme qui a vieilli garçon*. En parlant ainsi, sans mentir, sans avoir à rougir d'aucun aveu, je mettais les rieurs de mon côté, et je lui faisais une petite leçon qui naturellement devait la rendre un peu moins impertinente à me questionner. Je ne fis rien de tout cela, je ne dis point ce qu'il fallait dire, je dis ce qu'il ne fallait pas et qui ne pouvait me servir de rien. Il est donc certain que ni mon jugement ni ma volonté ne dictèrent ma réponse et qu'elle fut l'effet machinal de mon embarras. Autrefois je n'avais point cet embarras et je faisais l'aveu de mes fautes avec plus de franchise que de honte parce que je ne doutais pas qu'on ne vît ce qui les rachetait et que je sentais au-dedans de moi; mais l'œil de la malignité me navre et me déconcerte; en devenant plus malheureux je suis devenu plus timide et jamais je n'ai menti que par timidité.

Je n'ai jamais mieux senti mon aversion naturelle pour le mensonge qu'en écrivant les *Confessions*, car c'est là que les tentations auraient été fréquentes et fortes, pour peu que mon penchant m'eût porté de ce côté. Mais loin d'avoir rien tu, rien dissimulé qui fût à ma charge, par un tour d'esprit que j'ai peine à m'expliquer et qui vient peut-être d'éloignement pour toute imitation, je me sentais plutôt porté à mentir dans le sens contraire en m'accusant avec trop de sévérité qu'en m'excusant avec trop d'indulgence, et ma conscience m'assure qu'un jour je serai jugé moins sévèrement que je ne me suis jugé moi-même. Oui, je le dis et le sens avec une fière élévation d'âme, j'ai porté dans cet écrit la bonne foi, la véracité, la franchise aussi loin, plus loin même, au moins je le crois, que ne fit jamais aucun autre homme; sentant que le bien surpassait le mal j'avais mon intérêt à tout dire, et j'ai tout dit.

Je n'ai jamais dit moins, j'ai dit plus quelquefois, non dans les faits, mais dans les circonstances, et cette espèce de mensonge fut plutôt l'effet du délire de l'imagination qu'un acte de la volonté. J'ai tort même de l'appeler mensonge, car aucune de ces additions n'en fut un. J'écrivais mes *Confessions* déjà vieux, et dégoûté des vains plaisirs de la vie que j'avais tous effleurés et dont mon cœur avait bien senti le vide. Je les écrivais de mémoire; cette mémoire me manquait souvent ou ne me fournissait que des souvenirs imparfaits et j'en remplissais les lacunes par des détails que j'imaginais en supplément de ces souvenirs, mais qui ne leur étaient jamais contraires. J'aimais m'étendre sur les moments heureux de ma vie, et je les embellissais quelquefois des ornements que de tendres regrets venaient me fournir. Je disais les choses que j'avais oubliées comme il me semblait qu'elles avaient dû être, comme elles avaient été peut-être en effet, jamais au contraire de ce que je me rappelais qu'elles avaient été. Je prêtais quelquefois à la vérité des charmes étrangers, mais jamais je n'ai mis le mensonge à la place pour pallier mes vices ou pour m'arroger des vertus.

Que si quelquefois sans y songer, par un mouvement involontaire, j'ai caché le côté difforme en me peignant de profil, ces réticences ont bien été compensées par d'autres réticences plus bizarres qui m'ont souvent fait taire le bien plus soigneusement que le mal. Ceci est une singularité de mon naturel qu'il est fort pardonnable aux hommes de ne pas croire, mais qui, tout incroyable qu'elle est, n'en est pas moins réelle : j'ai souvent dit le mal dans toute sa turpitude, j'ai rarement dit le bien dans tout ce qu'il eut d'aimable, et souvent je l'ai tu tout à fait parce qu'il m'honorait trop, et qu'en faisant mes *Confessions* j'aurais l'air d'avoir fait mon éloge. J'ai décrit mes jeunes ans sans me vanter des heureuses qualités dont mon cœur était doué et même en supprimant les faits qui les mettaient trop en évidence. Je m'en rappelle ici deux de ma première enfance, qui tous deux sont bien venus à mon souvenir en écrivant, mais que j'ai rejetés l'un et l'autre par l'unique raison dont je viens de parler.

J'allais presque tous les dimanches passer la journée aux Pâquis chez M. Fazy, qui avait épousé une de mes tantes et qui avait là une fabrique d'indiennes. Un jour j'étais à l'étendage dans la chambre de la calandre et j'en regardais les rouleaux de fonte : leur luisant flattait ma vue, je fus tenté d'y poser mes doigts et je les promenais avec plaisir sur le lissé du cylindre, quand le jeune Fazy s'étant mis dans la roue lui donna un demi-quart de tour si adroitement qu'il n'y prit que le bout de mes deux plus longs doigts; mais c'en fut assez pour qu'ils y fussent écrasés par le bout et que les deux ongles y restassent. Je fis un cri perçant, Fazy détourne à l'instant la roue, mais les ongles ne restèrent pas moins au cylindre et le sang ruisselait de mes doigts. Fazy consterné s'écrie, sort de la roue, m'embrasse et me conjure d'apaiser mes cris, ajoutant qu'il était perdu. Au fort de ma douleur la sienne me toucha, je me tus, nous fûmes à la carpière où il m'aida à laver mes doigts et à étancher mon sang avec de la mousse. Il me supplia avec larmes de ne point l'accuser; je le lui promis et le tins si bien que plus de vingt ans après personne ne savait par quelle aventure j'avais deux de mes doigts cicatrisés; car ils le sont demeurés toujours. Je fus détenu dans mon lit plus de trois semaines, et plus de deux mois hors d'état de me servir de ma main, disant toujours qu'une grosse pierre en tombant m'avait écrasé mes doigts.

Magnanima menzôgna! or quando ê il vero
Si bello che si possa a te preporre?

Cet accident me fut pourtant bien sensible par la circonstance, car c'était le temps des exercices où l'on faisait manœuvrer la bourgeoisie, et nous avions fait un rang de trois autres enfants de mon âge avec lesquels je devais en uniforme faire l'exercice avec la compagnie de mon quartier. J'eus la douleur d'entendre le tambour de la compagnie passant sous ma fenêtre avec mes trois camarades, tandis que j'étais dans mon lit.

Mon autre histoire est toute semblable, mais d'un âge plus avancé.

Je jouais au mail à Plainpalais avec un de mes camarades appelé Pleince. Nous prîmes querelle au jeu, nous nous battîmes et durant le combat il me donna sur la tête nue un coup de mail si bien appliqué que d'une main plus forte il m'eût fait sauter la cervelle. Je tombe à l'instant. Je ne vis de ma vie une agitation pareille à celle de ce pauvre garçon voyant mon sang ruisseler dans mes cheveux. Il crut m'avoir tué. Il se précipite sur moi, m'embrasse, me serre étroitement en fondant en larmes et poussant des cris perçants. Je l'embrassais aussi de toute ma force en pleurant comme lui dans une émotion confuse qui n'était pas sans quelque douceur. Enfin il se mit en devoir d'étancher mon sang qui continuait de couler, et voyant que nos deux mouchoirs n'y pouvaient suffire, il m'entraîna chez sa mère qui avait un petit jardin près de là. Cette bonne dame faillit à se trouver mal en me voyant dans cet état. Mais elle sut conserver des forces pour me panser, et après avoir bien bassiné ma plaie elle y appliqua des fleurs de lis macérées dans l'eau-de-vie, vulnéraire excellent et très usité dans notre pays. Ses larmes et celles de son fils pénétrèrent mon cœur au point que longtemps je la regardai comme ma mère et son fils comme mon frère, jusqu'à ce qu'ayant perdu l'un et l'autre de vue, je les oubliai peu à peu.

Je gardai le même secret sur cet accident que sur l'autre, et il m'en est arrivé cent autres de pareille nature en ma vie, dont je n'ai pas même été tenté de parler dans mes *Confessions,* tant j'y cherchais peu l'art de faire valoir le bien que je sentais dans mon caractère. Non, quand j'ai parlé contre la vérité qui m'était connue, ce n'a jamais été qu'en choses indifférentes, et plus ou par l'embarras de parler ou pour le plaisir d'écrire que par aucun motif d'intérêt pour moi, ni d'avantage ou de préjudice d'autrui. Et quiconque lira mes *Confessions* impartialement, si jamais cela arrive, sentira que les aveux que j'y fais sont plus humiliants, plus pénibles à faire que ceux d'un mal plus grand mais moins honteux à dire, et que je n'ai pas dit parce que je ne l'ai pas fait.

Il suit de toutes ces réflexions que la profession de véracité que je me suis faite a plus son fondement sur des sentiments de droiture et d'équité que sur la réalité des choses, et que j'ai plus suivi dans la pratique les directions morales de ma conscience que les notions abstraites du vrai et du faux. J'ai souvent débité bien des fables, mais j'ai très rarement menti. En suivant ces principes j'ai donné sur moi beaucoup de prise aux autres, mais je n'ai fait tort à qui que ce fût, et je ne me suis point attribué à moi-même plus d'avantage qu'il ne m'en était dû. C'est uniquement par là, ce me semble, que la vérité est une vertu. A tout autre égard elle n'est pour nous qu'un être métaphysique dont il ne résulte ni bien ni mal.

[Je ne sens pourtant pas mon cœur assez content de ces distinctions pour me croire tout à fait irrépréhensible. En pesant avec tant de soin ce que je devais aux autres, ai-je assez examiné ce que je me devais à moi-même? S'il faut être juste pour autrui, il faut être vrai pour soi, c'est un hommage que l'honnête homme doit rendre à sa propre dignité. Quand la stérilité de ma conversation me forçait d'y suppléer par d'innocentes fictions j'avais tort, parce qu'il ne faut point pour amuser autrui s'avilir soi-même; et quand, entraîné par le plaisir, j'ajoutais à des choses réelles des ornements inventés, j'avais plus de tort encore parce que orner la vérité par des fables c'est en effet la défigurer.

Mais ce qui me rend plus inexcusable est la devise que j'avais choisie. Cette devise m'obligeait plus que tout autre homme à une profession plus étroite de la vérité, et il ne suffisait pas que je lui sacrifiasse partout mon intérêt et mes penchants, il fallait lui sacrifier aussi ma faiblesse et mon naturel timide. Il fallait avoir le courage et la force d'être vrai toujours en toute occasion et qu'il ne sortît jamais ni fictions ni fables d'une bouche et d'une plume qui s'étaient particulièrement consacrées à la vérité. Voilà ce que j'aurais dû me dire en prenant cette fière devise, et me répéter sans cesse tant que j'osai la porter. Jamais la fausseté ne dicta mes mensonges, ils sont tous venus de faiblesse, mais cela m'excuse très mal. Avec une âme faible on peut tout au plus se garantir du vice, mais c'est être arrogant et téméraire d'oser professer de grandes vertus.

Voilà des réflexions qui probablement ne me seraient jamais venues dans l'esprit si l'abbé Rosier ne me les eût suggérées. Il est bien tard, sans doute, pour en faire usage; mais il n'est pas trop tard au moins pour redresser mon erreur et remettre ma volonté dans la règle : car c'est désormais tout ce qui dépend de moi. En ceci donc et en toutes choses semblables la maxime de Solon est applicable à tous les âges, et il n'est jamais trop tard pour apprendre, même de ses ennemis, à être sage, vrai, modeste, et à moins présumer de soi.

CINQUIÈME PROMENADE

De toutes les habitations où j'ai demeuré (et j'en ai eu de charmantes), aucune ne m'a rendu si véritablement heureux et ne m'a laissé de si tendres regrets que l'île de Saint-Pierre au milieu du lac de Bienne. Cette petite île qu'on appelle à Neuchâtel l'île de La Motte est bien peu connue, même en Suisse. Aucun voyageur, que je sache, n'en fait mention. Cependant elle est très agréable et singulièrement située pour le bonheur d'un homme qui aime à se circonscrire; car quoique je sois peut-être le seul au monde à qui sa destinée en ait fait une loi, je ne puis croire être le seul qui ait un goût si naturel, quoique je ne l'aie trouvé jusqu'ici chez nul autre.

Les rives du lac de Bienne sont plus sauvages et romantiques que celles du lac de Genève, parce que les rochers et les bois y bordent l'eau de plus près; mais elles ne sont pas moins riantes. S'il y a moins de culture de champs et de vignes, moins de villes et de maisons, il y a aussi plus de verdure naturelle, plus de prairies, d'asiles ombragés de bocages, des contrastes plus fréquents et des accidents plus rapprochés. Comme il n'y a pas sur ces heureux bords de grandes routes commodes pour les voitures, le pays est peu fréquenté par les voyageurs; mais il est intéressant pour des contemplatifs solitaires qui aiment à s'enivrer à loisir des charmes de la nature, et à se recueillir dans un silence que ne trouble aucun autre bruit que le cri des aigles, le ramage entrecoupé de quelques oiseaux, et le roulement des torrents qui tombent de la montagne! Ce beau bassin d'une forme presque ronde enferme dans son milieu deux petites îles, l'une habitée et cultivée, d'environ une demi-lieue de tour; l'autre plus petite, déserte et en friche, et qui sera détruite à la fin par les transports de terre qu'on en ôte sans cesse pour réparer les dégâts que les vagues et les orages font à la grande. C'est ainsi que la substance du faible est toujours employée au profit du puissant.

Il n'y a dans l'île qu'une seule maison, mais grande, agréable et commode, qui appartient à l'hôpital de Berne ainsi que l'île, et où loge un receveur avec sa famille et ses domestiques. Il y entretient une nombreuse basse-cour, une volière et des réservoirs pour le poisson. L'île dans sa petitesse est tellement variée dans ses terrains et ses aspects qu'elle offre toutes sortes de sites et souffre toutes sortes de cultures. On y trouve des champs, des vignes, des bois, des vergers, de gras pâturages ombragés de bosquets et bordés d'arbrisseaux de toute espèce dont le bord des eaux entretient la fraîcheur; une haute terrasse plantée de deux rangs d'arbres borde l'île dans sa longueur, et dans le milieu de cette terrasse on a bâti un joli salon où les habitants des rives voisines se rassemblent et viennent danser les dimanches durant les vendanges.

C'est dans cette île que je me réfugiai après la lapidation de Motiers. J'en trouvai le séjour si charmant, j'y menais une vie si convenable à mon humeur que, résolu d'y finir mes jours, je n'avais d'autre inquiétude sinon qu'on ne me laissât pas exécuter ce projet qui ne s'accordait pas avec celui de m'entraîner en Angleterre, dont je sentais déjà les premiers effets. Dans les pressentiments qui m'inquiétaient j'aurais voulu qu'on m'eût fait de cet asile une prison perpétuelle, qu'on m'y eût confiné pour toute ma vie, et qu'en m'ôtant toute puissance et tout espoir d'en sortir on m'eût interdit toute espèce de communication avec la terre ferme de sorte qu'ignorant tout ce qui se faisait dans le monde j'en eusse oublié l'existence et qu'on y eût oublié la mienne aussi.

On ne m'a laissé passer guère que deux mois dans cette île, mais j'y aurais passé deux ans, deux siècles et toute l'éternité sans m'y ennuyer un moment, quoique je n'y eusse, avec ma compagne, d'autre société que celle du receveur, de sa femme et de ses domestiques, qui tous étaient à la vérité de très bonnes gens et rien de plus, mais c'était précisément ce qu'il me fallait. Je compte ces deux mois pour le temps le plus heureux de ma vie et tellement heureux qu'il m'eût suffi durant toute mon existence sans laisser naître un seul instant dans mon âme le désir d'un autre état.

Quel était donc ce bonheur et en quoi consistait sa jouissance? Je le donnerais à deviner à tous les hommes de ce siècle sur la description de la vie que j'y menais. Le précieux *far niente* fut la première et la principale de ces jouissances que je voulus savourer dans toute sa douceur, et tout ce que je fis durant mon séjour ne fut en effet que l'occupation délicieuse et nécessaire d'un homme qui s'est dévoué à l'oisiveté.

L'espoir qu'on ne demanderait pas mieux que de me laisser dans ce séjour isolé où je m'étais enlacé de moi-même, dont il m'était impossible de sortir sans assistance et sans être bien aperçu, et où je ne pouvais avoir ni communication ni correspondance que par le concours des gens qui m'entouraient, cet espoir, dis-je, me donnait celui d'y finir mes jours plus tranquillement que je ne les avais passés, et l'idée que j'avais le temps de m'y arranger tout à loisir fit que je commençai par n'y faire aucun arrangement. Transporté là brusquement seul et nu, j'y fis venir successivement ma gouvernante, mes livres et mon petit équipage, dont j'eus le plaisir de ne rien déballer, laissant mes caisses et mes malles comme elles étaient arrivées et vivant dans l'habitation où je comptais achever mes jours comme dans une auberge dont j'aurais dû partir le lendemain. Toutes choses telles qu'elles étaient allaient si bien que vouloir les mieux ranger était y gâter quelque chose. Un de mes plus grands délices était surtout de laisser toujours mes livres bien encaissés et de n'avoir point d'écritoire. Quand de malheureuses lettres me forçaient de prendre la plume pour y répondre, j'empruntais en murmurant l'écritoire du receveur, et je me hâtais de la rendre dans la vaine espérance de n'avoir plus besoin de la remprunter. Au lieu de ces tristes paperasses et de toute cette bouquinerie, j'emplissais ma chambre de fleurs et de foin; car j'étais alors dans ma première ferveur de botanique, pour laquelle le docteur d'Ivernois m'avait inspiré un goût qui bientôt devint passion. Ne voulant plus d'œuvre de travail il m'en fallait une d'amusement qui me plût et qui ne me donnât de peine que celle qu'aime à prendre un paresseux. J'entrepris de faire la *Flora petrinsularis* et de décrire toutes les plantes de l'île sans en omettre une seule, avec un détail suffisant pour m'occuper le reste de mes jours. On dit qu'un Allemand a fait un livre sur un zeste de citron, j'en aurais fait un sur chaque gramen des prés, sur chaque mousse des bois, sur chaque lichen qui tapisse les rochers; enfin je ne voulais pas laisser un poil d'herbe, pas un atome végétal qui ne fût amplement décrit. En conséquence de ce beau projet, tous les matins après le déjeuner, que nous faisions tous ensemble, j'allais, une loupe à la main et mon *Systema naturæ* sous le bras, visiter un canton de l'île que j'avais pour cet effet divisée en petits carrés dans l'intention de les parcourir l'un après l'autre en chaque saison. Rien n'est plus singulier que les ravissements, les extases que j'éprouvais à chaque observation que je faisais sur la structure et l'organisation végétale, et sur le jeu des parties sexuelles dans la fructification, dont le système était alors tout à fait nouveau pour moi. La distinction des caractères génériques, dont je n'avais pas auparavant la moindre idée, m'enchantait en les vérifiant sur les espèces communes en attendant qu'il s'en offrît à moi de plus rares. La fourchure des deux longues étamines de la brunelle, le ressort de celles de l'ortie et de la pariétaire, l'explosion du fruit de la balsamine et de la capsule du buis, mille petits jeux de la fructification que j'observais pour la première fois me comblaient de joie, et j'allais demandant si l'on avait vu les cornes de la brunelle comme La Fontaine demandait si l'on avait lu Habacuc. Au bout de deux ou trois heures je m'en revenais chargé d'une ample moisson, provision d'amusement pour l'après-dînée au logis, en cas de pluie. J'employais le reste de la matinée à aller avec le receveur, sa femme et Thérèse visiter leurs ouvriers et leur récolte, mettant le plus souvent la main à l'œuvre avec eux, et souvent des Bernois qui me venaient voir m'ont trouvé juché sur de grands arbres ceint d'un sac que je remplissais de fruits, et que je dévalais ensuite à terre avec une corde. L'exercice que j'avais fait dans la matinée et la bonne humeur qui en est inséparable me rendaient le repos du dîner très agréable; mais quand il se prolongeait trop et que le beau temps m'invitait, je ne pouvais si longtemps attendre, et pendant qu'on était encore à table je m'esquivais et j'allais me jeter seul dans un bateau que je conduisais au milieu du lac quand l'eau était calme, et là, m'étendant tout de mon long dans le bateau les yeux tournés vers le ciel, je me laissais aller et dériver lentement au gré de l'eau, quelquefois pendant plusieurs heures, plongé dans mille rêveries confuses mais délicieuses, et qui sans avoir aucun objet bien déterminé ni constant ne laissaient pas d'être à mon gré cent fois préférables à tout ce que j'avais trouvé de plus doux dans ce qu'on appelle les plaisirs de la vie. Souvent averti par le baisser du soleil de l'heure de la retraite je me trouvais si loin de l'île que j'étais forcé de travailler de toute ma force pour arriver avant la nuit close. D'autres fois, au lieu de m'écarter en pleine eau, je me plaisais à côtoyer les verdoyantes rives de l'île dont les limpides eaux et les ombrages frais m'ont souvent engagé à m'y baigner. Mais une de mes navigations les plus fréquentes était d'aller de la grande à la petite île, d'y débarquer et d'y passer l'après-dînée, tantôt à des promenades très circonscrites au milieu des marceaux, des bourdaines, des persicaires, des arbrisseaux de toute espèce, et tantôt m'établissant au sommet d'un tertre sablonneux couvert de gazon, de serpolet, de fleurs, même d'esparcette et de trèfles qu'on y avait vraisemblablement semés autrefois, et très propre à loger des lapins qui pouvaient là multiplier en paix sans rien craindre et sans nuire à rien. Je donnai cette idée au receveur qui fit venir de Neuchâtel des lapins mâles et femelles, et nous allâmes en grande pompe, sa femme, une de ses sœurs, Thérèse et moi, les établir dans la petite île, où ils commençaient à peupler avant mon départ et où ils auront prospéré sans doute s'ils ont pu soutenir la rigueur des hivers. La fondation de cette petite colonie fut une fête. Le pilote des Argonautes n'était pas plus fier que moi menant en triomphe la compagnie et les lapins de la grande île à la petite, et je notais avec orgueil que la receveuse, qui redoutait l'eau à l'excès et s'y trouvait toujours mal, s'embarqua sous ma conduite avec confiance et ne montra nulle peur durant la traversée.

Quand le lac agité ne me permettait pas la navigation, je passais mon après-midi à parcourir l'île en herborisant à droite et à gauche, m'asseyant tantôt dans les réduits les plus riants et les plus solitaires pour y rêver à mon aise, tantôt sur les terrasses et les tertres, pour parcourir des yeux le superbe et ravissant coup d'œil du lac et de ses rivages couronnés d'un côté par des montagnes prochaines et de l'autre élargis en riches et fertiles plaines, dans lesquelles la vue s'étendait jusqu'aux montagnes bleuâtres plus éloignées qui la bornaient.

Quand le soir approchait je descendais des cimes de l'île et j'allais volontiers m'asseoir au bord du lac sur la grève dans quelque asile caché; là le bruit des vagues et l'agitation de l'eau fixant mes sens et chassant de mon âme toute autre agitation la plongeaient dans une rêverie délicieuse où la nuit me surprenait souvent sans que je m'en fusse aperçu. Le flux et reflux de cette eau, son bruit continu mais renflé par intervalles frappant sans relâche mon oreille et mes yeux, suppléaient aux mouvements internes que la rêverie éteignait en moi et suffisaient pour me faire sentir avec plaisir mon existence sans prendre la peine de penser. De temps à autre naissait quelque faible et courte réflexion sur l'instabilité des choses de ce monde dont la surface des eaux m'offrait l'image : mais bientôt ces impressions légères s'effaçaient dans l'uniformité du mouvement continu qui me berçait, et qui sans aucun concours actif de mon âme ne laissait pas de m'attacher au point qu'appelé par l'heure et par le signal convenu je ne pouvais m'arracher de là sans effort.

Après le souper, quand la soirée était belle, nous allions encore tous ensemble faire quelque tour de promenade sur la terrasse pour y respirer l'air du lac et la fraîcheur. On se reposait dans le pavillon, on riait, on causait, on chantait quelque vieille chanson qui valait bien le tortillage moderne, et enfin l'on s'allait coucher content de sa journée et n'en désirant qu'une semblable pour le lendemain.

Telle est, laissant à part les visites imprévues et importunes, la manière dont j'ai passé mon temps dans cette île durant le séjour que j'y ai fait. Qu'on me dise à présent ce qu'il y a là d'assez attrayant pour exciter dans mon cœur des regrets si vifs, si tendres et si durables qu'au bout de quinze ans il m'est impossible de songer à cette habitation chérie sans m'y sentir à chaque fois transporter encore par les élans du désir.

J'ai remarqué dans les vicissitudes d'une longue vie que les époques des plus douces jouissances et des plaisirs les plus vifs ne sont pourtant pas celles dont le souvenir m'attire et me touche le plus. Ces courts moments de délire et de passion, quelque vifs qu'ils puissent être, ne sont cependant, et par leur vivacité même, que des points bien clairsemés dans la ligne de la vie. Ils sont trop rares et trop rapides pour constituer un état, et le bonheur que mon cœur regrette n'est point composé d'instants fugitifs mais un état simple et permanent, qui n'a rien de vif en lui-même, mais dont la durée accroît le charme au point d'y trouver enfin la suprême félicité.

Tout est dans un flux continuel sur la terre : rien n'y garde une forme constante et arrêtée, et nos affections qui s'attachent aux choses extérieures passent et changent nécessairement comme elles. Toujours en avant ou en arrière de nous, elles rappellent le passé qui n'est plus ou préviennent l'avenir qui souvent ne doit point être : il n'y a rien là de solide à quoi le cœur se puisse attacher. Aussi n'a-t-on guère ici-bas que du plaisir qui passe; pour le bonheur qui dure je doute qu'il y soit connu. A peine est-il dans nos plus vives jouissances un instant où le cœur puisse véritablement nous dire : *Je voudrais que cet instant durât toujours;* et comment peut-on appeler bonheur un état fugitif qui nous laisse encore le cœur inquiet et vide, qui nous fait regretter quelque chose avant, ou désirer encore quelque chose après?

Mais s'il est un état où l'âme trouve une assiette assez solide pour s'y reposer tout entière et rassembler là tout son être, sans avoir besoin de rappeler le passé ni d'enjamber sur l'avenir; où le temps ne soit rien pour elle, où le présent dure toujours sans néanmoins marquer sa durée et sans aucune trace de succession, sans aucun autre sentiment de privation ni de jouissance, de plaisir ni de peine, de désir ni de crainte que celui seul de notre existence, et que ce sentiment seul puisse la remplir tout entière; tant que cet état dure celui qui s'y trouve peut s'appeler heureux, non d'un bonheur imparfait, pauvre et relatif, tel que celui qu'on trouve dans les plaisirs de la vie, mais d'un bonheur suffisant, parfait et plein, qui ne laisse dans l'âme aucun vide qu'elle sente le besoin de remplir. Tel est l'état où je me suis trouvé souvent à l'île de Saint-Pierre dans mes rêveries solitaires, soit couché dans mon bateau que je laissais dériver au gré de l'eau, soit assis sur les rives du lac agité, soit ailleurs au bord d'une belle rivière ou d'un ruisseau murmurant sur le gravier.

De quoi jouit-on dans une pareille situation? De rien d'extérieur à soi, de rien sinon de soi-même et de sa propre existence, tant que cet état dure on se suffit à soi-même comme Dieu. Le sentiment de l'existence dépouillé de toute autre affection est par lui-même un sentiment précieux de contentement et de paix, qui suffirait seul pour rendre cette existence chère et douce à qui saurait écarter de soi toutes les impressions sensuelles et terrestres qui viennent sans cesse nous en distraire et en troubler ici-bas la douceur. Mais la plupart des hommes, agités de passions continuelles, connaissent peu cet état, et ne l'ayant goûté qu'imparfaitement durant peu d'instants n'en conservent qu'une idée obscure et confuse qui ne leur en fait pas sentir le charme. Il ne serait pas même bon, dans la présente constitution des choses, qu'avides de ces douces extases ils s'y dégoûtassent de la vie active dont leurs besoins toujours renaissants leur prescrivent le devoir. Mais un infortuné qu'on a retranché de la société humaine et qui ne peut plus rien faire ici-bas d'utile et de bon pour autrui ni pour soi, peut trouver dans cet état à toutes les félicités humaines des dédommagements que la fortune et les hommes ne lui sauraient ôter.

Il est vrai que ces dédommagements ne peuvent être sentis par toutes les âmes ni dans toutes les situations. Il faut que le cœur soit en paix et qu'aucune passion n'en vienne troubler le calme. Il y faut des dispositions de la part de celui qui les éprouve, il en faut dans le concours des objets environnants. Il n'y faut ni un repos absolu ni trop d'agitation, mais un mouvement uniforme et modéré qui n'ait ni secousses ni intervalles. Sans mouvement la vie n'est qu'une léthargie. Si le mouvement est inégal ou trop fort, il réveille; en nous rappelant aux objets environnants, il détruit le charme de la rêverie, et nous arrache d'au-dedans de nous pour nous remettre à l'instant sous le joug de la fortune et des hommes et nous rendre au sentiment de nos malheurs. Un silence absolu porte à la tristesse. Il offre une image de la mort. Alors le secours d'une imagination riante est nécessaire et se présente assez naturellement à ceux que le ciel en a gratifiés. Le mouvement qui ne vient pas du dehors se fait alors au-dedans de nous. Le repos est moindre, il est vrai, mais il est aussi plus agréable quand de légères et douces idées, sans agiter le fond de l'âme, ne font pour ainsi dire qu'en effleurer la surface. Il n'en faut qu'assez pour se souvenir de soi-même en oubliant tous ses maux. Cette espèce de rêverie peut se goûter partout où l'on peut être tranquille, et j'ai souvent pensé qu'à la Bastille, et même dans un cachot où nul objet n'eût frappé ma vue, j'aurais encore pu rêver agréablement.

Mais il faut avouer que cela se faisait bien mieux et plus agréablement dans une île fertile et solitaire, naturellement circonscrite et séparée du reste du monde, où rien ne m'offrait que des images riantes, où rien ne me rappelait des souvenirs attristants, où la société du petit nombre d'habitants était liante et douce sans être intéressante au point de m'occuper incessamment, où je pouvais enfin me livrer tout le jour sans obstacle et sans soins aux occupations de mon goût ou à la plus molle oisiveté. L'occasion sans doute était belle pour un rêveur qui, sachant se nourrir d'agréables chimères au milieu des objets les plus déplaisants, pouvait s'en rassasier à son aise en y faisant concourir tout ce qui frappait réellement ses sens. En sortant d'une longue et douce rêverie, en me voyant entouré de verdure, de fleurs, d'oiseaux et laissant errer mes yeux au loin sur les romanesques rivages qui bordaient une vaste étendue d'eau claire et cristalline, j'assimilais à mes fictions tous ces aimables objets; et me trouvant enfin ramené par degrés à moi-même et à ce qui m'entourait, je ne pouvais marquer le point de séparation des fictions aux réalités, tant tout concourait également à me rendre chère la vie recueillie et solitaire que je menais dans ce beau séjour. Que ne peut-elle renaître encore! Que ne puis-je aller finir mes jours dans cette île chérie sans en ressortir jamais, ni jamais y revoir aucun habitant du continent qui me rappelât le souvenir des calamités de toute espèce qu'ils se plaisent à rassembler sur moi depuis tant d'années! Ils seraient bientôt oubliés pour jamais : sans doute ils ne m'oublieraient pas de même, mais que m'importerait, pourvu qu'ils n'eussent aucun accès pour y venir troubler mon repos? Délivré de toutes les passions terrestres qu'engendre le tumulte de la vie sociale, mon âme s'élancerait fréquemment au-dessus de cette atmosphère, et commercerait d'avance avec les intelligences célestes dont elle espère aller augmenter le nombre dans peu de temps. Les hommes se garderont, je le sais, de me rendre un si doux asile où ils n'ont pas voulu me laisser. Mais ils ne m'empêcheront pas du moins de m'y transporter chaque jour sur les ailes de l'imagination, et d'y goûter durant quelques heures le même plaisir que si je l'habitais encore. Ce que j'y ferais de plus doux serait d'y rêver à mon aise. En rêvant que j'y suis ne fais-je pas la même chose? Je fais même plus; à l'attrait d'une rêverie abstraite et monotone je joins des images charmantes qui la vivifient. Leurs objets échappaient souvent à mes sens dans mes extases, et maintenant plus ma rêverie est profonde plus elle me les peint vivement. Je suis souvent plus au milieu d'eux et plus agréablement encore que quand j'y étais réellement. Le malheur est qu'à mesure que l'imagination s'attiédit cela vient avec plus de peine et ne dure pas si longtemps. Hélas, c'est quand on commence à quitter sa dépouille qu'on en est le plus offusqué!

SIXIÈME PROMENADE

Nous n'avons guère de mouvement machinal dont nous ne pussions trouver la cause dans notre cœur, si nous savions bien l'y chercher. Hier, passant sur le nouveau boulevard pour aller herboriser le long de la Bièvre du côté de Gentilly, je fis le crochet à droite en approchant de la barrière d'Enfer, et m'écartant dans la campagne j'allai par la route de Fontainebleau gagner les hauteurs qui bordent cette petite rivière. Cette marche était fort indifférente en elle-même, mais en me rappelant que j'avais fait plusieurs fois machinalement le même détour, j'en recherchai la cause en moi-même, et je ne pus m'empêcher de rire quand je vins à la démêler.

Dans un coin du boulevard, à la sortie de la barrière d'Enfer, s'établit journellement en été une femme qui vend du fruit, de la tisane et des petits pains. Cette femme a un petit garçon fort gentil mais boiteux qui, clopinant avec ses béquilles, s'en va d'assez bonne grâce demandant l'aumône aux passants. J'avais fait une espèce de connaissance avec ce petit bonhomme; il ne manquait pas chaque fois que je passais de venir me faire son petit compliment, toujours suivi de ma petite offrande. Les premières fois je fus charmé de le voir, je lui donnais de très bon cœur, et je continuai quelque temps de le faire avec le même plaisir, y joignant même le plus souvent celui d'exciter et d'écouter son petit babil que je trouvais agréable. Ce plaisir devenu par degrés habitude se trouva, je ne sais comment, transformé dans une espèce de devoir dont je sentis bientôt la gêne, surtout à cause de la harangue préliminaire qu'il fallait écouter, et dans laquelle il ne manquait jamais de m'appeler souvent M. Rousseau pour montrer qu'il me connaissait bien, ce qui m'apprenait assez au contraire qu'il ne me connaissait pas plus que ceux qui l'avaient instruit. Dès lors je passai par là moins volontiers, et enfin je pris machinalement l'habitude de faire le plus souvent un détour quand j'approchais de cette traverse.

Voilà ce que je découvris en y réfléchissant : car rien de tout cela ne s'était offert jusqu'alors distinctement à ma pensée. Cette observation m'en a rappelé successivement des multitudes d'autres qui m'ont bien confirmé que les vrais et premiers motifs de la plupart de mes actions ne me sont pas aussi clairs à moi-même que je me l'étais longtemps figuré. Je sais et je sens que faire du bien est le plus vrai bonheur que le cœur humain puisse goûter; mais il y a longtemps que ce bonheur a été mis hors de ma portée, et ce n'est pas dans un aussi misérable sort que le mien qu'on peut espérer de placer avec choix et avec fruit une seule action réellement bonne. Le plus grand soin de ceux qui règlent ma destinée ayant été que tout ne fût pour moi que fausse et trompeuse apparence, un motif de vertu n'est jamais qu'un leurre qu'on me présente pour m'attirer dans le piège où l'on veut m'enlacer. Je sais cela; je sais que le seul bien qui soit désormais en ma puissance est de m'abstenir d'agir de peur de mal faire sans le vouloir et sans le savoir.

Mais il fut des temps plus heureux où, suivant les mouvements de mon cœur, je pouvais quelquefois rendre un autre cœur content, et je me dois l'honorable témoignage que chaque fois que j'ai pu goûter ce plaisir je l'ai trouvé plus doux qu'aucun autre. Ce penchant fut vif, vrai, pur, et rien dans mon plus secret intérieur ne l'a jamais démenti. Cependant j'ai senti souvent le poids de mes propres bienfaits par la chaîne des devoirs qu'ils entraînaient à leur suite : alors le plaisir a disparu et je n'ai plus trouvé dans la continuation des mêmes soins qui m'avaient d'abord charmé qu'une gêne presque insupportable. Durant mes courtes prospérités beaucoup de gens recouraient à moi, et jamais dans tous les services que je pus leur rendre aucun d'eux ne fut éconduit. Mais de ces premiers bienfaits versés avec effusion de cœur naissaient des chaînes d'engagements successifs que je n'avais pas prévus et dont je ne pouvais plus secouer le joug. Mes premiers services n'étaient aux yeux de ceux qui les recevaient que les arrhes de ceux qui les devaient suivre; et dès que quelque infortuné avait jeté sur moi le grappin d'un bienfait reçu, c'en était fait désormais, et ce premier bienfait libre et volontaire devenait un droit indéfini à tous ceux dont il pouvait avoir besoin dans la suite, sans que l'impuissance même suffît pour m'en affranchir. Voilà comment des jouissances très douces se transformaient pour moi dans la suite en d'onéreux assujettissements.

Ces chaînes cependant ne me parurent pas très pesantes tant qu'ignoré du public je vécus dans l'obscurité. Mais quand une fois ma personne fut affichée par mes écrits, faute grave sans doute, mais plus qu'expiée par mes malheurs, dès lors je devins le bureau général d'adresse de tous les souffreteux ou soi-disant tels, de tous les aventuriers qui cherchaient des dupes, de tous ceux qui sous prétexte du grand crédit qu'ils feignaient de m'attribuer voulaient s'emparer de moi de manière ou d'autre. C'est alors que j'eus lieu de connaître que tous les penchants de la nature sans en excepter la bienfaisance elle-même, portés ou suivis dans la société sans prudence et sans choix, changent de nature et deviennent souvent aussi nuisibles qu'ils étaient utiles dans leur première direction. Tant de cruelles expériences changèrent peu à peu mes premières dispositions, ou plutôt, les renfermant enfin dans leurs véritables bornes, elle m'apprirent à suivre moins aveuglément mon penchant à bien faire, lorsqu'il ne servait qu'à favoriser la méchanceté d'autrui.

Mais je n'ai point regret à ces mêmes expériences, puisqu'elles m'ont procuré par la réflexion de nouvelles lumières sur la connaissance de moi-même et sur les vrais motifs de ma conduite en mille circonstances sur lesquelles je me suis si souvent fait illusion. J'ai vu que pour bien faire avec plaisir il fallait que j'agisse librement, sans contrainte, et que pour m'ôter toute la douceur d'une bonne œuvre il suffisait qu'elle devînt un devoir pour moi. Dès lors le poids de l'obligation me fait un fardeau des plus douces jouissances et, comme je l'ai dit dans l'*Émile,* à ce que je crois, j'eusse été chez les Turcs un mauvais mari à l'heure où le cri public les appelle à remplir les devoirs de leur état.

Voilà ce qui modifie beaucoup l'opinion que j'eus longtemps de ma propre vertu; car il n'y en a point à suivre ses penchants et à se donner, quand ils nous y portent, le plaisir de bien faire. Mais elle consiste à les vaincre quand le devoir le commande, pour faire ce qu'il nous prescrit, et voilà ce que j'ai su moins faire qu'homme du monde. Né sensible et bon, portant la pitié jusqu'à la faiblesse, et me sentant exalter l'âme par tout ce qui tient à la générosité, je fus humain, bienfaisant, secourable, par goût, par passion même, tant qu'on n'intéressa que mon cœur; j'eusse été le meilleur et le plus clément des hommes si j'en avais été le plus puissant, et pour éteindre en moi tout désir de vengeance il m'eût suffi de pouvoir me venger. J'aurais même été juste sans peine contre mon propre intérêt, mais contre celui des personnes qui m'étaient chères je n'aurais pu me résoudre à l'être. Dès que mon devoir et mon cœur étaient en contradiction, le premier eut rarement la victoire, à moins qu'il ne fallût seulement que m'abstenir; alors j'étais fort le plus souvent, mais agir contre mon penchant me fut toujours impossible. Que ce soient les hommes, le devoir ou même la nécessité qui commandent quand mon cœur se tait, ma volonté reste sourde, et je ne saurais obéir. Je vois le mal qui me menace et je le laisse arriver plutôt que de m'agiter pour le prévenir. Je commence quelquefois avec effort, mais cet effort me lasse et m'épuise bien vite; je ne saurais continuer. En toute chose imaginable ce que je ne fais pas avec plaisir m'est bientôt impossible à faire.

Il y a plus. La contrainte d'accord avec mon désir suffit pour l'anéantir, et le changer en répugnance, en aversion même, pour peu qu'elle agisse trop fortement, et voilà ce qui me rend pénible la bonne œuvre qu'on exige et que je faisais de moi-même lorsqu'on ne l'exigeait pas. Un bienfait purement gratuit est certainement une œuvre que j'aime à faire. Mais quand celui qui l'a reçu s'en fait un titre pour en exiger la continuation sous peine de sa haine, quand il me fait une loi d'être à jamais son bienfaiteur pour avoir d'abord pris plaisir à l'être, dès lors la gêne commence et le plaisir s'évanouit. Ce que je fais alors quand je cède est faiblesse et mauvaise honte, mais la bonne volonté n'y est plus, et loin que je m'en applaudisse en moi-même, je me reproche en ma conscience de bien faire à contrecœur.

Je sais qu'il y a une espèce de contrat et même le plus saint de tous entre le bienfaiteur et l'obligé. C'est une sorte de société qu'ils forment l'un avec l'autre, plus étroite que celle qui unit les hommes en général, et si l'obligé s'engage tacitement à la reconnaissance, le bienfaiteur s'engage de même à conserver à l'autre, tant qu'il ne s'en rendra pas indigne, la même bonne volonté qu'il vient de lui témoigner, et à lui en renouveler les actes toutes les fois qu'il le pourra et qu'il en sera requis. Ce ne sont pas là des conditions expresses, mais ce sont des effets naturels de la relation qui vient de s'établir entre eux. Celui qui la première fois refuse un service gratuit qu'on lui demande ne donne aucun droit de se plaindre à celui qu'il a refusé; mais celui qui dans un cas semblable refuse au même la même grâce qu'il lui accorda ci-devant frustre une espérance qu'il l'a autorisé à concevoir; il trompe et dément une attente qu'il a fait naître. On sent dans ce refus je ne sais quoi d'injuste et de plus dur que dans l'autre; mais il n'en est pas moins l'effet d'une indépendance que le cœur aime, et à laquelle il ne renonce pas sans effort. Quand je paye une dette, c'est un devoir que je remplis; quand je fais un don, c'est un plaisir que je me donne. Or le plaisir de remplir ses devoirs est de ceux que la seule habitude de la vertu fait naître : ceux qui nous viennent immédiatement de la nature ne s'élèvent pas si haut que cela.

Après tant de tristes expériences j'ai appris à prévoir de loin les conséquences de mes premiers mouvements suivis, et je me suis souvent abstenu d'une bonne œuvre que j'avais le désir et le pouvoir de faire, effrayé de l'assujettissement auquel dans la suite je m'allais soumettre si je m'y livrais inconsidérément. Je n'ai pas toujours senti cette crainte, au contraire dans ma jeunesse je m'attachais par mes propres bienfaits, et j'ai souvent éprouvé de même que ceux que j'obligeais s'affectionnaient à moi par reconnaissance encore plus que par intérêt. Mais les choses ont bien changé de face à cet égard comme à tout autre aussitôt que mes malheurs ont commencé. J'ai vécu dès lors dans une génération nouvelle qui ne ressemblait point à la première, et mes propres sentiments pour les autres ont souffert des changements que j'ai trouvés dans les leurs. Les mêmes gens que j'ai vus successivement dans ces deux générations si différentes se sont pour ainsi dire assimilés successivement à l'une et à l'autre. De vrais et francs qu'ils étaient d'abord, devenus ce qu'ils sont, ils ont fait comme tous les autres; et par cela seul que les temps sont changés, les hommes ont changé comme eux. Eh! comment pourrais-je garder les mêmes sentiments pour ceux en qui je trouve le contraire de ce qui les fit naître? Je ne les hais point, parce que je ne saurais haïr; mais je ne puis me défendre du mépris qu'ils méritent ni m'abstenir de le leur témoigner.

Peut-être, sans m'en apercevoir, ai-je changé moi-même plus qu'il n'aurait fallu. Quel naturel résisterait sans s'altérer à une situation pareille à la mienne? Convaincu par vingt ans d'expérience que tout ce que la nature a mis d'heureuses dispositions dans mon cœur est tourné par ma destinée et par ceux qui en disposent au préjudice de moi-même ou d'autrui, je ne puis plus regarder une bonne œuvre qu'on me présente à faire que comme un piège qu'on me tend et sous lequel est caché quelque mal. Je sais que, quel que soit l'effet de l'œuvre, je n'en aurai pas moins le mérite de ma bonne intention. Oui, ce mérite y est toujours sans doute, mais le charme intérieur n'y est plus, et sitôt que ce stimulant me manque, je ne sens qu'indifférence et glace au-dedans de moi, et sûr qu'au lieu de faire une action vraiment utile je ne fais qu'un acte de dupe, l'indignation de l'amour-propre jointe au désaveu de la raison ne m'inspire que répugnance et résistance où j'eusse été plein d'ardeur et de zèle dans mon état naturel.

Il est des sortes d'adversités qui élèvent et renforcent l'âme, mais il en est qui l'abattent et la tuent; telle est celle dont je suis la proie. Pour peu qu'il y eût eu quelque mauvais levain dans la mienne elle l'eût fait fermenter à l'excès, elle m'eût rendu frénétique; mais elle ne m'a rendu que nul. Hors d'état de bien faire et pour moi-même et pour autrui, je m'abstiens d'agir; et cet état, qui n'est innocent que parce qu'il est forcé, me fait trouver une sorte de douceur à me livrer pleinement sans reproche à mon penchant naturel. Je vais trop loin sans doute, puisque j'évite les occasions d'agir, même où je ne vois que du bien à faire. Mais certain qu'on ne me laisse pas voir les choses comme elles sont, je m'abstiens de juger sur les apparences qu'on leur donne, et de quelque leurre qu'on couvre les motifs d'agir, il suffit que ces motifs soient laissés à ma portée pour que je sois sûr qu'ils sont trompeurs.

Ma destinée semble avoir tendu dès mon enfance le premier piège qui m'a rendu longtemps si facile à tomber dans tous les autres. Je suis né le plus confiant des hommes et durant quarante ans entiers jamais cette confiance ne fut trompée une seule fois. Tombé tout d'un coup dans un autre ordre de gens et de choses j'ai donné dans mille embûches sans jamais en apercevoir aucune, et vingt ans d'expérience ont à peine suffi pour m'éclairer sur mon sort. Une fois convaincu qu'il n'y a que mensonge et fausseté dans les démonstrations grimacières qu'on me prodigue, j'ai passé rapidement à l'autre extrémité : car quand on est une fois sorti de son naturel, il n'y a plus de bornes qui nous retiennent. Dès lors je me suis dégoûté des hommes, et ma volonté concourant avec la leur à cet égard me tient encore plus éloigné d'eux que ne font toutes leurs machines.

Ils ont beau faire : cette répugnance ne peut jamais aller jusqu'à l'aversion. En pensant à la dépendance où ils se sont mis de moi pour me tenir dans la leur, ils me font une pitié réelle. Si je suis malheureux ils le sont eux-mêmes, et chaque fois que je rentre en moi je les trouve toujours à plaindre. L'orgueil peut-être se mêle encore à ces jugements, je me sens trop au-dessus d'eux pour les haïr. Ils peuvent m'intéresser tout au plus jusqu'au mépris, mais jamais jusqu'à la haine : enfin je m'aime trop moi-même pour pouvoir haïr qui que ce soit. Ce serait resserrer, comprimer mon existence, et je voudrais plutôt l'étendre sur tout l'univers.

J'aime mieux les fuir que les haïr. Leur aspect frappe mes sens et par eux mon cœur d'impressions que mille regards cruels me rendent pénibles; mais le malaise cesse aussitôt que l'objet qui le cause a disparu. Je m'occupe d'eux, et bien malgré moi par leur présence, mais jamais par leur souvenir. Quand je ne les vois plus, ils sont pour moi comme s'ils n'existaient point.

Ils ne me sont même indifférents qu'en ce qui se rapporte à moi; car dans leurs rapports entre eux ils peuvent encore m'intéresser et m'émouvoir comme les personnages d'un drame que je verrais représenter. Il faudrait que mon être moral fût anéanti pour que la justice me devînt indifférente. Le spectacle de l'injustice et de la méchanceté me fait encore bouillir le sang de colère; les actes de vertu où je ne vois ni forfanterie ni ostentation me font toujours tressaillir de joie et m'arrachent encore de douces larmes. Mais il faut que je les voie et les apprécie moi-même; car après ma propre histoire il faudrait que je fusse insensé pour adopter sur quoi que ce fût le jugement des hommes, et pour croire aucune chose sur la foi d'autrui.

Si ma figure et mes traits étaient aussi parfaitement inconnus aux hommes que le sont mon caractère et mon naturel, je vivrais encore sans peine au milieu d'eux. Leur société même pourrait me plaire tant que je leur serais parfaitement étranger. Livré sans contrainte à mes inclinations naturelles, je les aimerais encore s'ils ne s'occupaient jamais de moi. J'exercerais sur eux une bienveillance universelle et parfaitement désintéressée : mais sans former jamais d'attachement particulier, et sans porter le joug d'aucun devoir, je ferais envers eux librement et de moi-même tout ce qu'ils ont tant de peine à faire incités par leur amour-propre et contraints par toutes leurs lois.

Si j'étais resté libre, obscur, isolé, comme j'étais fait pour l'être, je n'aurais fait que du bien : car je n'ai dans le cœur le germe d'aucune passion nuisible. Si j'eusse été invisible et tout-puissant comme Dieu, j'aurais été bienfaisant et bon comme lui. C'est la force et la liberté qui font les excellents hommes. La faiblesse et l'esclavage n'ont jamais fait que des méchants. Si j'eusse été possesseur de l'anneau de Gygès, il m'eût tiré de la dépendance des hommes et les eût mis dans la mienne. Je me suis souvent demandé, dans mes châteaux en Espagne, quel usage j'aurais fait de cet anneau; car c'est bien là que la tentation d'abuser doit être près du pouvoir. Maître de contenter mes désirs, pouvant tout sans pouvoir être trompé par personne, qu'aurais-je pu désirer avec quelque suite? Une seule chose : c'eût été de voir tous les cœurs contents. L'aspect de la félicité publique eût pu seul toucher mon cœur d'un sentiment permanent, et l'ardent désir d'y concourir eût été ma plus constante passion. Toujours juste sans partialité et toujours bon sans faiblesse, je me serais également garanti des méfiances aveugles et des haines implacables; parce que, voyant les hommes tels qu'ils sont et lisant aisément au fond de leurs cœurs, j'en aurais peu trouvé d'assez aimables pour mériter toutes mes affections, peu d'assez odieux pour mériter toute ma haine, et que leur méchanceté même m'eût disposé à les plaindre par la connaissance certaine du mal qu'ils se font à eux-mêmes en voulant en faire à autrui. Peut-être aurais-je eu dans des moments de gaieté l'enfantillage d'opérer quelquefois des prodiges : mais parfaitement désintéressé pour moi-même et n'ayant pour loi que mes inclinations naturelles, sur quelques actes de justice sévère j'en aurais fait mille de clémence et d'équité. Ministre de la Providence et dispensateur de ses lois selon mon pouvoir, j'aurais fait des miracles plus sages et plus utiles que ceux de la légende dorée et du tombeau de Saint-Médard.

Il n'y a qu'un seul point sur lequel la faculté de pénétrer partout invisible m'eût pu faire chercher des tentations auxquelles j'aurais mal résisté, et une fois entré dans ces voies d'égarement, où n'eussé-je point été conduit par elles? Ce serait bien mal connaître la nature et moi-même que de me flatter que ces facilités ne m'auraient point séduit, ou que la raison m'aurait arrêté dans cette fatale pente. Sûr de moi sur tout autre article, j'étais perdu par celui-là seul. Celui que sa puissance met au-dessus de l'homme doit être au-dessus des faiblesses de l'humanité, sans quoi cet excès de force ne servira qu'à le mettre en effet au-dessous des autres et de ce qu'il eût été lui-même s'il fût resté leur égal.

Tout bien considéré, je crois que je ferai mieux de jeter mon anneau magique avant qu'il m'ait fait faire quelque sottise. Si les hommes s'obstinent à me voir tout autre que je ne suis et que mon aspect irrite leur injustice, pour leur ôter cette vue il faut les fuir, mais non pas m'éclipser au milieu d'eux. C'est à eux de se cacher devant moi, de me dérober leurs manœuvres, de fuir la lumière du jour, de s'enfoncer en terre comme des taupes. Pour moi, qu'ils me voient s'ils peuvent, tant mieux, mais cela leur est impossible; ils ne verront jamais à ma place que le Jean-Jacques qu'ils se sont fait et qu'ils ont fait selon leur cœur, pour le haïr à leur aise. J'aurais donc tort de m'affecter de la façon dont ils me voient : je n'y dois prendre aucun intérêt véritable, car ce n'est pas moi qu'ils voient ainsi.

Le résultat que je puis tirer de toutes ces réflexions est que je n'ai jamais été vraiment propre à la société civile où tout est gêne, obligation, devoir, et que mon naturel indépendant me rendit toujours incapable des assujettissements nécessaires à qui veut vivre avec les hommes. Tant que j'agis librement je suis bon et je ne fais que du bien; mais sitôt que je sens le joug, soit de la nécessité soit des hommes, je deviens rebelle ou plutôt rétif, alors je suis nul. Lorsqu'il faut faire le contraire de ma volonté, je ne le fais point, quoi qu'il arrive; je ne fais pas non plus ma volonté même, parce que je suis faible. Je m'abstiens d'agir : car toute ma faiblesse est pour l'action, toute ma force est négative, et tous mes péchés sont d'omission, rarement de commission. Je n'ai jamais cru que la liberté de l'homme consistât à faire ce qu'il veut, mais bien à ne jamais faire ce qu'il ne veut pas, et voilà celle que j'ai toujours réclamée, souvent conservée, et par qui j'ai été le plus en scandale à mes contemporains. Car pour eux, actifs, remuants, ambitieux, détestant la liberté dans les autres et n'en voulant point pour eux-mêmes, pourvu qu'ils fassent quelquefois leur volonté, ou plutôt qu'ils dominent celle d'autrui, ils se gênent toute leur vie à faire ce qui leur répugne et n'omettent rien de servile pour commander. Leur tort n'a donc pas été de m'écarter de la société comme un membre inutile, mais de m'en proscrire comme un membre pernicieux : car j'ai très peu fait de bien, je l'avoue, mais pour du mal, il n'en est entré dans ma volonté de ma vie, et je doute qu'il y ait aucun homme au monde qui en ait réellement moins fait que moi.

SEPTIÈME PROMENADE

Le recueil de mes longs rêves est à peine commencé, et déjà je sens qu'il touche à sa fin. Un autre amusement lui succède, m'absorbe, et m'ôte même le temps de rêver. Je m'y livre avec un engouement qui tient de l'extravagance et qui me fait rire moi-même quand j'y réfléchis; mais je ne m'y livre pas moins, parce que dans la situation où me voilà, je n'ai plus d'autre règle de conduite que de suivre en tout mon penchant sans contrainte. Je ne peux rien à mon sort, je n'ai que des inclinations innocentes, et tous les jugements des hommes étant désormais nuls pour moi, la sagesse même veut qu'en ce qui reste à ma portée je fasse tout ce qui me flatte, soit en public soit à part moi, sans autre règle que ma fantaisie, et sans autre mesure que le peu de force qui m'est resté. Me voilà donc à mon foin pour toute nourriture, et à la botanique pour toute occupation. Déjà vieux j'en avais pris la première teinture en Suisse auprès du docteur d'Ivernois, et j'avais herborisé assez heureusement durant mes voyages pour prendre une connaissance passable du règne végétal. Mais devenu plus que sexagénaire et sédentaire à Paris, les forces commençant à me manquer pour les grandes herborisations, et d'ailleurs assez livré à ma copie de musique pour n'avoir pas besoin d'autre occupation, j'avais abandonné cet amusement qui ne m'était plus nécessaire; j'avais vendu mon herbier, j'avais vendu mes livres, content de revoir quelquefois les plantes communes que je trouvais autour de Paris dans mes promenades. Durant cet intervalle le peu que je savais s'est presque entièrement effacé de ma mémoire, et bien plus rapidement qu'il ne s'y était gravé.

Tout d'un coup, âgé de soixante-cinq ans passés, privé du peu de mémoire que j'avais et des forces qui me restaient pour courir la campagne, sans guide, sans livres, sans jardin, sans herbier, me voilà repris de cette folie, mais avec plus d'ardeur encore que je n'en eus en m'y livrant la première fois; me voilà sérieusement occupé du sage projet d'apprendre par cœur tout le *Regnum vegetabile* de Murray et de connaître toutes les plantes connues sur la terre. Hors d'état de racheter des livres de botanique, je me suis mis en devoir de transcrire ceux qu'on m'a prêtés, et résolu de refaire un herbier plus riche que le premier, en attendant que j'y mette toutes les plantes de la mer et des Alpes et de tous les arbres des Indes, je commence toujours à bon compte par le mouron, le cerfeuil, la bourrache et le seneçon; j'herborise savamment sur la cage de mes oiseaux et à chaque nouveau brin d'herbe que je rencontre je me dis avec satisfaction : voilà toujours une plante de plus.

Je ne cherche pas à justifier le parti que je prends de suivre cette fantaisie; je la trouve très raisonnable, persuadé que dans la position où je suis, me livrer aux amusements qui me flattent est une grande sagesse, et même une grande vertu : c'est le moyen de ne laisser germer dans mon cœur aucun levain de vengeance ou de haine, et pour trouver encore dans ma destinée du goût à quelque amusement, il faut assurément avoir un naturel bien épuré de toutes passions irascibles. C'est me venger de mes persécuteurs à ma manière, je ne saurais les punir plus cruellement que d'être heureux malgré eux.

Oui, sans doute, la raison me permet, me prescrit même de me livrer à tout penchant qui m'attire et que rien ne m'empêche de suivre; mais elle ne m'apprend pas pourquoi ce penchant m'attire, et quel attrait je puis trouver à une vaine étude faite sans profit, sans progrès, et qui, vieux, radoteur, déjà caduc et pesant, sans facilité, sans mémoire, me ramène aux exercices de la jeunesse et aux leçons d'un écolier. Or c'est une bizarrerie que je voudrais m'expliquer; il me semble que, bien éclaircie, elle pourrait jeter quelque nouveau jour sur cette connaissance de moi-même à l'acquisition de laquelle j'ai consacré mes derniers loisirs.

J'ai pensé quelquefois assez profondément; mais rarement avec plaisir, presque toujours contre mon gré et comme par force : la rêverie me délasse et m'amuse, la réflexion me fatigue et m'attriste; penser fut toujours pour moi une occupation pénible et sans charme. Quelquefois mes rêveries finissent par la méditation, mais plus souvent mes méditations finissent par la rêverie, et durant ces égarements mon âme erre et plane dans l'univers sur les ailes de l'imagination dans des extases qui passent toute autre jouissance.

Tant que je goûtai celle-là dans toute sa pureté, toute autre occupation me fut toujours insipide. Mais quand, une fois jeté dans la carrière littéraire par des impulsions étrangères, je sentis la fatigue du travail d'esprit et l'importunité d'une célébrité malheureuse, je sentis en même temps languir et s'attiédir mes douces rêveries, et bientôt forcé de m'occuper malgré moi de ma triste situation, je ne pus plus retrouver que bien rarement ces chères extases qui durant cinquante ans m'avaient tenu lieu de fortune et de gloire, et sans autre dépense que celle du temps m'avaient rendu dans l'oisiveté le plus heureux des mortels.

J'avais même à craindre dans mes rêveries que mon imagination effarouchée par mes malheurs ne tournât enfin de ce côté son activité, et que le continuel sentiment de mes peines, me resserrant le cœur par degrés, ne m'accablât enfin de leur poids. Dans cet état, un instinct qui m'est naturel, me faisant fuir toute idée attristante, imposa silence à mon imagination et, fixant mon attention sur les objets qui m'environnaient, me fit pour la première fois détailler le spectacle de la nature, que je n'avais guère contemplé jusqu'alors qu'en masse et dans son ensemble.

Les arbres, les arbrisseaux, les plantes sont la parure et le vêtement de la terre. Rien n'est si triste que l'aspect d'une campagne nue et pelée qui n'étale aux yeux que des pierres, du limon et des sables. Mais vivifiée par la nature et revêtue de sa robe de noces au milieu du cours des eaux et du chant des oiseaux, la terre offre à l'homme dans l'harmonie des trois règnes un spectacle plein de vie, d'intérêt et de charmes, le seul spectacle au monde dont ses yeux et son cœur ne se lassent jamais.

Plus un contemplateur a l'âme sensible, plus il se livre aux extases qu'excite en lui cet accord. Une rêverie douce et profonde s'empare alors de ses sens, et il se perd avec une délicieuse ivresse dans l'immensité de ce beau système avec lequel il se sent identifié. Alors tous les objets particuliers lui échappent; il ne voit et ne sent rien que dans le tout. Il faut que quelque circonstance particulière resserre ses idées et circonscrive son imagination pour qu'il puisse observer par partie cet univers qu'il s'efforçait d'embrasser.

C'est ce qui m'arriva naturellement quand mon cœur resserré par la détresse rapprochait et concentrait tous ses mouvements autour de lui pour conserver ce reste de chaleur prêt à s'évaporer et s'éteindre dans l'abattement où je tombais par degré. J'errais nonchalamment dans les bois et dans les montagnes, n'osant penser de peur d'attiser mes douleurs. Mon imagination qui se refuse aux objets de peine laissait mes sens se livrer aux impressions légères mais douces des objets environnants. Mes yeux se promenaient sans cesse de l'un à l'autre, et il n'était pas possible que dans une variété si grande il ne s'en trouvât qui les fixaient davantage et les arrêtaient plus longtemps.

Je pris goût à cette récréation des yeux, qui dans l'infortune repose, amuse, distrait l'esprit et suspend le sentiment des peines. La nature des objets aide beaucoup à cette diversion et la rend plus séduisante. Les odeurs suaves, les vives couleurs, les plus élégantes formes semblent se disputer à l'envi le droit de fixer notre attention. Il ne faut qu'aimer le plaisir pour se livrer à des sensations si douces, et si cet effet n'a pas lieu sur tous ceux qui en sont frappés, c'est dans les uns faute de sensibilité naturelle et dans la plupart que leur esprit trop occupé d'autres idées ne se livre qu'à la dérobée aux objets qui frappent leurs sens.

Une autre chose contribue encore à éloigner du règne végétal l'attention des gens de goût; c'est l'habitude de ne chercher dans les plantes que des drogues et des remèdes. Théophraste s'y était pris autrement, et l'on peut regarder ce philosophe comme le seul botaniste de l'antiquité : aussi n'est-il presque point connu parmi nous; mais grâce à un certain Dioscoride, grand compilateur de recettes, et à ses commentateurs, la médecine s'est tellement emparée des plantes transformées en simples qu'on n'y voit que ce qu'on n'y voit point, savoir les prétendues vertus qu'il plaît au tiers et au quart de leur attribuer. On ne conçoit pas que l'organisation végétale puisse par elle-même mériter quelque attention; des gens qui passent leur vie à arranger savamment des coquilles se moquent de la botanique comme d'une étude inutile quand on n'y joint pas, comme ils disent, celle des propriétés, c'est-à-dire quand on n'abandonne pas l'observation de la nature qui ne ment point et qui ne nous dit rien de tout cela, pour se livrer uniquement à l'autorité des hommes qui sont menteurs et qui affirment beaucoup de choses qu'il faut croire sur leur parole, fondée elle-même le plus souvent sur l'autorité d'autrui. Arrêtez-vous dans une prairie émaillée à examiner successivement les fleurs dont elle brille, ceux qui vous verront faire, vous prenant pour un frater, vous demanderont des herbes pour guérir la rogne des enfants, la gale des hommes ou la morve des chevaux.

Ce dégoûtant préjugé est détruit en partie dans les autres pays et surtout en Angleterre grâce à Linnæus qui a un peu tiré la botanique des écoles de pharmacie pour la rendre à l'histoire naturelle et aux usages économiques; mais en France où cette étude a moins pénétré chez les gens du monde, on est resté sur ce point tellement barbare qu'un bel esprit de Paris voyant à Londres un jardin de curieux plein d'arbres et de plantes rares s'écria pour tout éloge : *Voilà un fort beau jardin d'apothicaire!* A ce compte le premier apothicaire fut Adam. Car il n'est pas aisé d'imaginer un jardin mieux assorti de plantes que celui d'Eden.

Ces idées médicinales ne sont assurément guère propres à rendre agréable l'étude de la botanique, elles flétrissent l'émail des prés, l'éclat des fleurs, dessèchent la fraîcheur des bocages, rendent la verdure et les ombrages insipides et dégoûtants; toutes ces structures charmantes et gracieuses intéressent fort peu quiconque ne veut que piler tout cela dans un mortier, et l'on n'ira pas chercher des guirlandes pour les bergères parmi des herbes pour les lavements.

Toute cette pharmacie ne souillait point mes images champêtres; rien n'en était plus éloigné que des tisanes et des emplâtres. J'ai souvent pensé en regardant de près les champs, les vergers, les bois et leurs nombreux habitants que le règne végétal était un magasin d'aliments donnés par la nature à l'homme et aux animaux. Mais jamais il ne m'est venu à l'esprit d'y chercher des drogues et des remèdes. Je ne vois rien dans ses diverses productions qui m'indique un pareil usage, et elle nous aurait montré le choix si elle nous l'avait prescrit, comme elle a fait pour les comestibles. Je sens même que le plaisir que je prends à parcourir les bocages serait empoisonné par le sentiment des infirmités humaines s'il me laissait penser à la fièvre, à la pierre, à la goutte et au mal caduc. Du reste je ne disputerai point aux végétaux les grandes vertus qu'on leur attribue; je dirai seulement qu'en supposant ces vertus réelles, c'est malice pure aux malades de continuer à l'être; car de tant de maladies que les hommes se donnent il n'y en a pas une seule dont vingt sortes d'herbes ne guérissent radicalement.

Ces tournures d'esprit qui rapportent toujours tout à notre intérêt matériel, qui font chercher partout du profit ou des remèdes, et qui feraient regarder avec indifférence toute la nature si l'on se portait toujours bien, n'ont jamais été les miennes. Je me sens là-dessus tout à rebours des autres hommes : tout ce qui tient au sentiment de mes besoins attriste et gâte mes pensées, et jamais je n'ai trouvé de vrai charme aux plaisirs de l'esprit qu'en perdant tout à fait de vue l'intérêt de mon corps. Ainsi quand même je croirais à la médecine, et quand même ses remèdes seraient agréables, je ne trouverais jamais à m'en occuper ces délices que donne une contemplation pure et désintéressée et mon âme ne saurait s'exalter et planer sur la nature, tant que je la sens tenir aux liens de mon corps. D'ailleurs, sans avoir eu jamais grande confiance à la médecine, j'en ai eu beaucoup à des médecins que j'estimais, que j'aimais, et à qui je laissais gouverner ma carcasse avec pleine autorité. Quinze ans d'expérience m'ont instruit à mes dépens; rentré maintenant sous les seules lois de la nature, j'ai repris par elle ma première santé. Quand les médecins n'auraient point contre moi d'autres griefs, qui pourrait s'étonner de leur haine? Je suis la preuve vivante de la vanité de leur art et de l'inutilité de leurs soins.

Non, rien de personnel, rien qui tienne à l'intérêt de mon corps ne peut occuper vraiment mon âme. Je ne médite, je ne rêve jamais plus délicieusement que quand je m'oublie moi-même. Je sens des extases, des ravissements inexprimables à me fondre pour ainsi dire dans le système des êtres, à m'identifier avec la nature entière. Tant que les hommes furent mes frères, je me faisais des projets de félicité terrestre; ces projets étant toujours relatifs au tout, je ne pouvais être heureux que de la félicité publique, et jamais l'idée d'un bonheur particulier n'a touché mon cœur que quand j'ai vu mes frères ne chercher le leur que dans ma misère. Alors pour ne les pas haïr il a bien fallu les fuir; alors, me réfugiant chez la mère commune, j'ai cherché dans ses bras à me soustraire aux atteintes de ses enfants, je suis devenu solitaire, ou, comme ils disent, insociable et misanthrope, parce que la plus sauvage solitude me paraît préférable à la société des méchants, qui ne se nourrit que de trahisons et de haine.

Forcé de m'abstenir de penser, de peur de penser à mes malheurs malgré moi; forcé de contenir les restes d'une imagination riante mais languissante, que tant d'angoisses pourraient effaroucher à la fin; forcé de tâcher d'oublier les hommes, qui m'accablent d'ignominie et d'outrages, de peur que l'indignation ne m'aigrît enfin contre eux, je ne puis cependant me concentrer tout entier en moi-même, parce que mon âme expansive cherche malgré que j'en aie à étendre ses sentiments et son existence sur d'autres êtres, et je ne puis plus comme autrefois me jeter tête baissée dans ce vaste océan de la nature, parce que mes facultés affaiblies et relâchées ne trouvent plus d'objets assez déterminés, assez fixes, assez à ma portée pour s'y attacher fortement et que je ne me sens plus assez de vigueur pour nager dans le chaos de mes anciennes extases. Mes idées ne sont presque plus que des sensations, et la sphère de mon entendement ne passe pas les objets dont je suis immédiatement entouré.

Fuyant les hommes, cherchant la solitude, n'imaginant plus, pensant encore moins, et cependant doué d'un tempérament vif qui m'éloigne de l'apathie languissante et mélancolique, je commençai de m'occuper de tout ce qui m'entourait, et par un instinct fort naturel je donnai la préférence aux objets les plus agréables. Le règne minéral n'a rien en soi d'aimable et d'attrayant; ses richesses enfermées dans le sein de la terre semblent avoir été éloignées des regards des hommes pour ne pas tenter leur cupidité. Elles sont là comme en réserve pour servir un jour de supplément aux véritables richesses qui sont plus à sa portée et dont il perd le goût à mesure qu'il se corrompt. Alors il faut qu'il appelle l'industrie, la peine et le travail au secours de ses misères; il fouille les entrailles de la terre, il va chercher dans son centre aux risques de sa vie et aux dépens de sa santé des biens imaginaires à la place des biens réels qu'elle lui offrait d'elle-même quand il savait en jouir. Il fuit le soleil et le jour qu'il n'est plus digne de voir; il s'enterre tout vivant et fait bien, ne méritant plus de vivre à la lumière du jour. Là, des carrières, des gouffres, des forges, des fourneaux, un appareil d'enclumes, de marteaux, de fumée et de feu succèdent aux douces images des travaux champêtres. Les visages hâves des malheureux qui languissent dans les infectes vapeurs des mines, de noirs forgerons, de hideux cyclopes sont le spectacle que l'appareil des mines substitue, au sein de la terre, à celui de la verdure et des fleurs, du ciel azuré, des bergers amoureux et des laboureurs robustes sur sa surface.

Il est aisé, je l'avoue, d'aller ramassant du sable

et des pierres, d'en remplir ses poches et son cabinet et de se donner avec cela les airs d'un naturaliste : mais ceux qui s'attachent et se bornent à ces sortes de collections sont pour l'ordinaire de riches ignorants qui ne cherchent à cela que le plaisir de l'étalage. Pour profiter dans l'étude des minéraux, il faut être chimiste et physicien; il faut faire des expériences pénibles et coûteuses, travailler dans des laboratoires, dépenser beaucoup d'argent et de temps parmi le charbon, les creusets, les fourneaux, les cornues, dans la fumée et les vapeurs étouffantes, toujours au risque de sa vie et souvent aux dépens de sa santé. De tout ce triste et fatigant travail résulte pour l'ordinaire beaucoup moins de savoir que d'orgueil, et où est le plus médiocre chimiste qui ne croie pas avoir pénétré toutes les grandes opérations de la nature pour avoir trouvé, par hasard peut-être, quelques petites combinaisons de l'art?

Le règne animal est plus à notre portée et certainement mérite encore mieux d'être étudié. Mais enfin cette étude n'a-t-elle pas aussi ses difficultés, ses embarras, ses dégoûts et ses peines? Surtout pour un solitaire qui n'a ni dans ses jeux ni dans ses travaux d'assistance à espérer de personne. Comment observer, disséquer, étudier, connaître les oiseaux dans les airs, les poissons dans les eaux, les quadrupèdes plus légers que le vent, plus forts que l'homme et qui ne sont pas plus disposés à venir s'offrir à mes recherches que moi de courir après eux pour les y soumettre de force? J'aurais donc pour ressource des escargots, des vers, des mouches, et je passerais ma vie à me mettre hors d'haleine pour courir après des papillons, à empaler de pauvres insectes, à disséquer des souris quand j'en pourrais prendre ou les charognes des bêtes que par hasard je trouverais mortes. L'étude des animaux n'est rien sans l'anatomie; c'est par elle qu'on apprend à les classer, à distinguer les genres, les espèces. Pour les étudier par leurs mœurs, par leurs caractères, il faudrait avoir des volières, des viviers, des ménageries; il faudrait les contraindre en quelque manière que ce pût être à rester rassemblés autour de moi. Je n'ai ni le goût ni les moyens de les tenir en captivité, ni l'agilité nécessaire pour les suivre dans leurs allures quand ils sont en liberté. Il faudra donc les étudier morts, les déchirer, les désosser, fouiller à loisir dans leurs entrailles palpitantes! Quel appareil affreux qu'un amphithéâtre anatomique, des cadavres puants, de baveuses et livides chairs, du sang, des intestins dégoûtants, des squelettes affreux, des vapeurs pestilentielles! Ce n'est pas là, sur ma parole, que Jean-Jacques ira chercher ses amusements.

Brillantes fleurs, émail des prés, ombrages frais, ruisseaux, bosquets, verdure, venez purifier mon imagination salie par tous ces hideux objets. Mon âme morte à tous les grands mouvements ne peut plus s'affecter que par des objets sensibles; je n'ai plus que des sensations, et ce n'est plus que par elles que la peine ou le plaisir peuvent m'atteindre ici-bas. Attiré par les riants objets qui m'entourent, je les considère, je les contemple, je les compare, j'apprends enfin à les classer et me voilà tout d'un coup aussi botaniste qu'a besoin de l'être celui qui ne veut étudier la nature que pour trouver sans cesse de nouvelles raisons de l'aimer.

Je ne cherche point à m'instruire : il est trop tard. D'ailleurs je n'ai jamais vu que tant de science contribuât au bonheur de la vie. Mais je cherche à me donner des amusements doux et simples que je puisse goûter sans peine et qui me distraient de mes malheurs. Je n'ai ni dépense à faire ni peine à prendre pour errer nonchalamment d'herbe en herbe, de plante en plante, pour les examiner, pour comparer leurs divers caractères, pour marquer leurs rapports et leurs différences, enfin pour observer l'organisation végétale de manière à suivre la marche et le jeu des machines vivantes, à chercher quelquefois avec succès leurs lois générales, la raison et la fin de leurs structures diverses, et à me livrer au charme de l'admiration reconnaissante pour la main qui me fait jouir de tout cela.

Les plantes semblent avoir été semées avec profusion sur la terre comme les étoiles dans le ciel, pour inviter l'homme par l'attrait du plaisir et de la curiosité à l'étude de la nature; mais les astres sont placés loin de nous; il faut des connaissances préliminaires, des instruments, des machines, de bien longues échelles pour les atteindre et les rapprocher à notre portée. Les plantes y sont naturellement. Elles naissent sous nos pieds, et dans nos mains pour ainsi dire, et si la petitesse de leurs parties essentielles les dérobe quelquefois à la simple vue, les instruments qui les y rendent sont d'un beaucoup plus facile usage que ceux de l'astronomie. La botanique est l'étude d'un oisif et paresseux solitaire : une pointe et une loupe sont tout l'appareil dont il a besoin pour les observer. Il se promène, il erre librement d'un objet à l'autre, il fait la revue de chaque fleur avec intérêt et curiosité, et sitôt qu'il commence à saisir les lois de leur structure il goûte à les observer un plaisir sans peine aussi vif que s'il lui en coûtait beaucoup. Il y a dans cette oiseuse occupation un charme qu'on ne sent que dans le plein calme des passions mais qui suffit seul alors pour rendre la vie heureuse et douce; mais sitôt qu'on y mêle un motif d'intérêt ou de vanité, soit pour remplir des places ou pour faire des livres, sitôt qu'on ne veut apprendre que pour instruire, qu'on n'herborise que pour devenir auteur ou professeur, tout ce doux charme s'évanouit, on ne voit plus dans les plantes que des instruments de nos passions, on ne trouve plus aucun vrai plaisir dans leur étude, on ne veut plus savoir mais montrer qu'on sait, et dans les bois on n'est que sur le théâtre du monde, occupé du soin de s'y faire admirer; ou bien se bornant à la botanique de cabinet et de jardin tout au plus, au lieu d'observer les végétaux dans la nature, on ne s'occupe que de systèmes et de méthodes; matière éternelle de dispute qui ne fait pas connaître une plante de plus et ne jette aucune véritable lumière sur l'histoire naturelle et le règne végétal. De là les haines, les jalousies que la concurrence de célébrité excite chez les botanistes auteurs autant et plus que chez les autres savants. En dénaturant cette aimable étude ils la transplantent au milieu des villes et des académies où elle ne dégénère pas moins que les plantes exotiques dans les jardins des curieux.

Des dispositions bien différentes ont fait pour moi de cette étude une espèce de passion qui remplit le vide de toutes celles que je n'ai plus. Je gravis les rochers, les montagnes, je m'enfonce dans les vallons, dans les bois, pour me dérober autant qu'il est possible au souvenir des hommes et aux atteintes des méchants. Il me semble que sous les ombrages d'une forêt je suis oublié, libre et paisible comme si je n'avais plus d'ennemis ou que le feuillage des bois dût me garantir de leurs atteintes comme il les éloigne de mon souvenir, et je m'imagine dans ma bêtise qu'en ne pensant point à eux ils ne penseront point à moi. Je trouve une si grande douceur dans cette illusion que je m'y livrerais tout entier si ma situation, ma faiblesse et mes besoins me le permettaient. Plus la solitude où je vis alors est profonde, plus il faut que quelque objet en remplisse le vide, et ceux que mon imagination me refuse ou que ma mémoire repousse sont suppléés par les productions spontanées que la terre, non forcée par les hommes, offre à mes yeux de toutes parts. Le plaisir d'aller dans un désert chercher de nouvelles plantes couvre celui d'échapper à mes persécuteurs et, parvenu dans des lieux où je ne vois nulles traces d'hommes, je respire plus à mon aise comme dans un asile où leur haine ne me poursuit plus.

Je me rappellerai toute ma vie une herborisation

que je fis un jour du côté de la Robaila, montagne du justicier Clerc. J'étais seul, je m'enfonçai dans les anfractuosités de la montagne, et de bois en bois, de roche en roche, je parvins à un réduit si caché que je n'ai vu de ma vie un aspect plus sauvage. De noirs sapins entremêlés de hêtres prodigieux dont plusieurs tombés de vieillesse et entrelacés les uns dans les autres fermaient ce réduit de barrières impénétrables, quelques intervalles que laissait cette sombre enceinte n'offraient au-delà que des roches coupées à pic et d'horribles précipices que je n'osais regarder qu'en me couchant sur le ventre. Le duc, la chevêche et l'orfraie faisaient entendre leurs cris dans les fentes de la montagne, quelques petits oiseaux rares mais familiers tempéraient cependant l'horreur de cette solitude. Là je trouvai la *Dentaire heptaphyllos,* le *Cyclamen,* le *Nidus avis,* le grand *Laserpitium* et quelques autres plantes qui me charmèrent et m'amusèrent longtemps. Mais insensiblement dominé par la forte impression des objets, j'oubliai la botanique et les plantes, je m'assis sur des oreillers de *Lycopodium* et de mousses, et je me mis à rêver plus à mon aise en pensant que j'étais là dans un refuge ignoré de tout l'univers où les persécuteurs ne me déterreraient pas. Un mouvement d'orgueil se mêla bientôt à cette rêverie. Je me comparais à ces grands voyageurs qui découvrent une île déserte, et je me disais avec complaisance : Sans doute je suis le premier mortel qui ait pénétré jusqu'ici; je me regardais presque comme un autre Colomb. Tandis que je me pavanais dans cette idée.

j'entendis peu loin de moi un certain cliquetis que je crus reconnaître; j'écoute : le même bruit se répète et se multiplie. Surpris et curieux je me lève, je perce à travers un fourré de broussailles du côté d'où venait le bruit, et dans une combe à vingt pas du lieu même où je croyais être parvenu le premier j'aperçois une manufacture de bas.

Je ne saurais exprimer l'agitation confuse et contradictoire que je sentis dans mon cœur à cette découverte. Mon premier mouvement fut un sentiment de joie de me retrouver parmi des humains où je m'étais cru totalement seul. Mais ce mouvement plus rapide que l'éclair fit bientôt place à un sentiment douloureux plus durable, comme ne pouvant dans les antres mêmes des Alpes échapper aux cruelles mains des hommes, acharnés à me tourmenter. Car j'étais bien sûr qu'il n'y avait peut-être pas deux hommes dans cette fabrique qui ne fussent initiés dans le complot dont le prédicant Montmollin s'était fait le chef, et qui tirait de plus loin ses premiers mobiles. Je me hâtai d'écarter cette triste idée et je finis par rire en moi-même et de ma vanité puérile et de la manière comique dont j'en avais été puni.

Mais en effet qui jamais eût dû s'attendre à trouver une manufacture dans un précipice! Il n'y a que la Suisse au monde qui présente ce mélange de la nature sauvage et de l'industrie humaine. La Suisse entière n'est pour ainsi dire qu'une grande ville dont les rues, larges et longues plus que celle de Saint-Antoine, sont semées de forêts, coupées de montagnes, et dont les maisons éparses et isolées ne communiquent entre elles que par des jardins anglais. Je me rappelai à ce sujet une autre herborisation que du Peyrou, d'Escherny, le colonel Pury, le justicier Clerc et moi avions faite il y avait quelque temps sur la montagne de Chasseron, du sommet de laquelle on découvre sept lacs. On nous dit qu'il n'y avait qu'une seule maison sur cette montagne, et nous n'eussions sûrement pas deviné la profession de celui qui l'habitait, si l'on n'eût ajouté que c'était un libraire, et qui même faisait fort bien ses affaires dans le pays. Il me semble qu'un seul fait de cette espèce fait mieux connaître la Suisse que toutes les descriptions des voyageurs.

En voici un autre de même nature ou à peu près qui ne fait pas moins connaître un peuple fort différent. Durant mon séjour à Grenoble je faisais souvent de petites herborisations hors de la ville avec le sieur Bovier, avocat de ce pays-là, non pas qu'il aimât ni sût la botanique, mais parce que s'étant fait mon garde de la manche, il se faisait, autant que la chose était possible, une loi de ne pas me quitter d'un pas. Un jour nous nous promenions le long de l'Isère dans un lieu tout plein de saules épineux. Je vis sur ces arbrisseaux des fruits mûrs, j'eus la curiosité d'en goûter et, leur trouvant une petite acidité très agréable, je me mis à manger de ces grains pour me rafraîchir; le sieur Bovier se tenait à côté de moi sans m'imiter et sans rien dire. Un de ses amis survint, qui me voyant picorer ces grains me dit : « Eh! monsieur, que faites-vous là? Ignorez-vous que ce fruit empoisonne? – Ce fruit empoisonne? m'écriai-je tout surpris. – Sans doute, reprit-il, et tout le monde sait si bien cela que personne dans le pays ne s'avise d'en goûter. » Je regardai le sieur Bovier et je lui dis : « Pourquoi donc ne m'avertissiez-vous pas? – Ah! monsieur, me répondit-il d'un ton respectueux, je n'osais pas prendre cette liberté. » Je me mis à rire de cette humilité dauphinoise, en discontinuant néanmoins ma petite collation. J'étais persuadé, comme je le suis encore, que toute production naturelle agréable au goût ne peut être nuisible au corps ou ne l'est du moins que par son excès. Cependant j'avoue que je m'écoutai un peu tout le reste de la journée : mais j'en fus quitte pour un peu d'inquiétude; je soupai très bien, dormis mieux, et me levai le matin en parfaite santé, après avoir avalé la veille quinze ou vingt grains de ce terrible *Hippophaee,* qui empoisonne à très petite dose, à ce que tout le monde me dit à Grenoble le lendemain. Cette aventure me parut si plaisante que je ne me la rappelle jamais sans rire de la singulière discrétion de M. l'avocat Bovier.

Toutes mes courses de botanique, les diverses impressions du local des objets qui m'ont frappé, les idées qu'il m'a fait naître, les incidents qui s'y sont mêlés, tout cela m'a laissé des impressions qui se renouvellent par l'aspect des plantes herborisées dans ces mêmes lieux. Je ne reverrai plus ces beaux paysages, ces forêts, ces lacs, ces bosquets, ces rochers, ces montagnes, dont l'aspect a toujours touché mon cœur : mais maintenant que je ne peux plus courir ces heureuses contrées je n'ai qu'à ouvrir mon herbier et bientôt il m'y transporte. Les fragments des plantes que j'y ai cueillies suffisent pour me rappeler tout ce magnifique spectacle. Cet herbier est pour moi un journal d'herborisations qui me les fait recommencer avec un nouveau charme et produit l'effet d'un optique qui les peindrait derechef à mes yeux.

C'est la chaîne des idées accessoires qui m'attache à la botanique. Elle rassemble et rappelle à mon imagination toutes les idées qui la flattent davantage. Les prés, les eaux, les bois, la solitude, la paix surtout et le repos qu'on trouve au milieu de tout cela sont retracés par elle incessamment à ma mémoire. Elle me fait oublier les persécutions des hommes, leur haine, leur mépris, leurs outrages, et tous les maux dont ils ont payé mon tendre et sincère attachement pour eux. Elle me transporte dans des habitations paisibles au milieu de gens simples et bons tels que ceux avec qui j'ai vécu jadis. Elle me rappelle et mon jeune âge et mes innocents plaisirs, elle m'en fait jouir derechef, et me rend heureux bien souvent encore au milieu du plus triste sort qu'ait subi jamais un mortel.

HUITIÈME PROMENADE

En méditant sur les dispositions de mon âme dans toutes les situations de ma vie, je suis extrêmement frappé de voir si peu de proportion entre les diverses combinaisons de ma destinée et les sentiments habituels de bien ou mal être dont elles m'ont affecté. Les divers intervalles de mes courtes prospérités ne m'ont laissé presque aucun souvenir agréable de la manière intime et permanente dont elles m'ont affecté, et au contraire dans toutes les misères de ma vie je me sentais constamment rempli de sentiments tendres, touchants, délicieux, qui versant un baume salutaire sur les blessures de mon cœur navré semblaient en convertir la douleur en volupté, et dont l'aimable souvenir me revient seul, dégagé de celui des maux que j'éprouvais en même temps. Il me semble que j'ai plus goûté la douceur de l'existence, que j'ai réellement plus vécu quand mes sentiments resserrés, pour ainsi dire, autour de mon cœur par ma destinée, n'allaient point s'évaporant au-dehors sur tous les objets de l'estime des hommes, qui en méritent si peu par eux-mêmes et qui font l'unique occupation des gens que l'on croit heureux.

Quand tout était dans l'ordre autour de moi, quand j'étais content de tout ce qui m'entourait et de la sphère dans laquelle j'avais à vivre, je la remplissais de mes affections. Mon âme expansive s'étendait sur d'autres objets, et toujours attiré loin de moi par des goûts de mille espèces, par des attachements aimables qui sans cesse occupaient mon cœur, je m'oubliais en quelque façon moi-même, j'étais tout entier à ce qui m'était étranger et j'éprouvais dans la continuelle agitation de mon cœur toute la vicissitude des choses humaines. Cette vie orageuse ne me laissait ni paix audedans, ni repos au-dehors. Heureux en apparence, je n'avais pas un sentiment qui pût soutenir l'épreuve de la réflexion et dans lequel je pusse vraiment me complaire. Jamais je n'étais parfaitement content ni d'autrui ni de moi-même. Le tumulte du monde m'étourdissait, la solitude m'ennuyait, j'avais sans cesse besoin de changer de place et je n'étais bien nulle part. J'étais fêté pourtant, bien voulu, bien reçu, caressé partout. Je n'avais pas un ennemi, pas un malveillant, pas un envieux. Comme on ne cherchait qu'à m'obliger j'avais souvent le plaisir d'obliger moi-même beaucoup de monde, et sans bien, sans emploi, sans fauteurs, sans grands talents bien développés ni bien connus, je jouissait des avantages attachés à tout cela, et je ne voyais personne dans aucun état dont le sort me parût préférable au mien. Que me manquait-il donc pour être heureux, je l'ignore; mais je sais que je ne l'étais pas. Que me manque-t-il aujourd'hui pour être le plus infortuné des mortels? Rien de tout ce que les hommes ont pu mettre du leur pour cela. Eh bien, dans cet état déplorable je ne changerais pas encore d'être et de destinée contre le plus fortuné d'entre eux, et j'aime encore mieux être moi dans toute ma misère que d'être aucun de ces gens-là dans toute leur prospérité. Réduit à moi seul, je me nourris, il est vrai, de ma propre substance, mais elle ne s'épuise pas et je me suffis à moi-même, quoique je rumine pour ainsi dire à vide et que mon imagination tarie et mes idées éteintes ne fournissent plus d'aliments à mon cœur. Mon âme offusquée, obstruée par mes organes, s'affaisse de jour en jour et sous le poids de ces lourdes masses n'a plus assez de vigueur pour s'élancer comme autrefois hors de sa vieille enveloppe.

C'est à ce retour sur nous-mêmes que nous force l'adversité, et c'est peut-être là ce qui la rend le plus insupportable à la plupart des hommes. Pour moi qui ne trouve à me reprocher que des fautes, j'en accuse ma faiblesse et je me console; car jamais mal prémédité n'approcha de mon cœur.

Cependant, à moins d'être stupide, comment contempler un moment ma situation sans la voir aussi horrible qu'ils l'ont rendue, et sans périr de douleur et de désespoir? Loin de cela, moi le plus sensible des êtres, je la contemple et ne m'en émeus pas, et sans combats, sans efforts sur moi-même, je me vois presque avec indifférence dans un état dont nul autre homme peut-être ne supporterait l'aspect sans effroi.

Comment en suis-je venu là? Car j'étais bien loin de cette disposition paisible au premier soupçon du complot dont j'étais enlacé depuis longtemps sans m'en être aucunement aperçu. Cette découverte nouvelle me bouleversa. L'infamie et la trahison me surprirent au dépourvu. Quelle âme honnête est préparée à de tels genres de peines? Il faudrait les mériter pour les prévoir. Je tombai dans tous les pièges qu'on creusa sous mes pas, l'indignation, la fureur, le délire s'emparèrent de moi, je perdis la tramontane, ma tête se bouleversa, et dans les ténèbres horribles où l'on n'a cessé de me tenir plongé je n'aperçus plus ni lueur pour me conduire, ni appui ni prise où je pusse me tenir ferme et résister au désespoir qui m'entraînait.

Comment vivre heureux et tranquille dans cet état affreux? J'y suis pourtant encore et plus enfoncé que jamais, et j'y ai retrouvé le calme et la paix et j'y vis heureux et tranquille et j'y ris des incroyables tourments que mes persécuteurs se donnent sans cesse tandis que je reste en paix, occupé de fleurs, d'étamines et d'enfantillages, et que je ne songe pas même à eux.

Comment s'est fait ce passage? Naturellement, insensiblement et sans peine. La première surprise fut épouvantable. Moi qui me sentais digne d'amour et d'estime, moi qui me croyais honoré, chéri comme je méritais de l'être, je me vis travesti tout d'un coup en un monstre affreux tel qu'il n'en exista jamais. Je vois toute une génération se précipiter tout entière dans cette étrange opinion, sans explication, sans doute, sans honte, et sans que je puisse parvenir à savoir jamais la cause de cette étrange révolution. Je me débattis avec violence et ne fis que mieux m'enlacer. Je voulus forcer mes persécuteurs à s'expliquer avec moi, ils n'avaient garde. Après m'être longtemps tourmenté sans succès, il fallut bien prendre haleine. Cependant j'espérais toujours, je me disais : Un aveuglement si stupide, une si absurde prévention ne saurait gagner tout le genre humain. Il y a des hommes de sens qui ne partagent pas le délire, il y a des âmes justes qui détestent la fourberie et les traîtres. Cherchons, je trouverai peut-être enfin un homme; si je le trouve, ils sont confondus. J'ai cherché vainement, je ne l'ai point trouvé. La ligue est universelle, sans exception, sans retour, et je suis sûr d'achever mes jours dans cette affreuse proscription, sans jamais en pénétrer le mystère.

C'est dans cet état déplorable qu'après de longues angoisses, au lieu du désespoir qui semblait devoir être enfin mon partage, j'ai retrouvé la sérénité, la tranquillité, la paix, le bonheur même, puisque chaque jour de ma vie me rappelle avec plaisir celui de la veille, et que je n'en désire point d'autre pour le lendemain.

D'où vient cette différence? D'une seule chose. C'est que j'ai appris à porter le joug de la nécessité sans murmure. C'est que je m'efforçais de tenir encore à mille choses et que, toutes ces prises m'ayant successivement échappé, réduit à moi seul j'ai repris enfin mon assiette. Pressé de tous côtés je demeure en équilibre, parce que je ne m'attache plus à rien, je ne m'appuie que sur moi.

Quand je m'élevais avec tant d'ardeur contre l'opinion, je portais encore son joug sans que je m'en aperçusse. On veut être estimé des gens qu'on estime, et tant que je pus juger avantageusement des hommes ou du moins de quelques hommes, les jugements qu'ils portaient de moi ne pouvaient m'être indifférents. Je voyais que souvent les jugements du public sont équitables, mais je ne voyais pas que cette équité même était l'effet du hasard, que les règles sur lesquelles les hommes fondent leurs opinions ne sont tirées que de leurs passions ou de leurs préjugés qui en sont l'ouvrage et que, lors même qu'ils jugent bien, souvent encore ces bons jugements naissent d'un mauvais principe, comme lorsqu'ils feignent d'honorer en quelque succès le mérite d'un homme, non par esprit de justice mais pour se donner un air impartial en calomniant tout à leur aise le même homme sur d'autres points.

Mais quand, après de longues et vaines recherches, je les vis tous rester sans exception dans le plus inique et absurde système que l'esprit infernal pût inventer; quand je vis qu'à mon égard la raison était bannie de toutes les têtes et l'équité de tous les cœurs; quand je vis une génération frénétique se livrer tout entière à l'aveugle fureur de ses guides contre un infortuné qui jamais ne fit, ne voulut, ne rendit de mal à personne; quand après avoir vainement cherché un homme il fallut éteindre enfin ma lanterne et m'écrier :

Il n'y en a plus; alors je commençai à me voir seul sur la terre, et je compris que mes contemporains n'étaient par rapport à moi que des êtres mécaniques qui n'agissaient que par impulsion et dont je ne pouvais calculer l'action que par les lois du mouvement. Quelque intention, quelque passion que j'eusse pu supposer dans leurs âmes, elles n'auraient jamais expliqué leur conduite à mon égard d'une façon que je pusse entendre. C'est ainsi que leurs dispositions intérieures cessèrent d'être quelque chose pour moi. Je ne vis plus en eux que des masses différemment mues, dépourvues à mon égard de toute moralité.

Dans tous les maux qui nous arrivent, nous regardons plus à l'intention qu'à l'effet. Une tuile qui tombe d'un toit peut nous blesser davantage mais ne nous navre pas tant qu'une pierre lancée à dessein par une main malveillante. Le coup porte à faux quelquefois, mais l'intention ne manque jamais son atteinte. La douleur matérielle est ce qu'on sent le moins dans les atteintes de la fortune, et quand les infortunés ne savent à qui s'en prendre de leurs malheurs ils s'en prennent à la destinée qu'ils personnifient et à laquelle ils prêtent des yeux et une intelligence pour les tourmenter à dessein. C'est ainsi qu'un joueur dépité par ses pertes se met en fureur sans savoir contre qui. Il imagine un sort qui s'acharne à dessein sur lui pour le tourmenter et, trouvant un aliment à sa colère, il s'anime et s'enflamme contre l'ennemi qu'il s'est créé. L'homme sage qui ne voit dans tous les malheurs qui lui arrivent que les coups de l'aveugle nécessité n'a point ces agitations insensées; il crie dans sa douleur mais sans emportement, sans colère; il ne sent du mal dont il est la proie que l'atteinte matérielle, et les coups qu'il reçoit ont beau blesser sa personne, pas un n'arrive jusqu'à son cœur.

C'est beaucoup que d'en être venu là, mais ce n'est pas tout si l'on s'arrête. C'est bien avoir coupé le mal mais c'est avoir laissé la racine. Car cette racine n'est pas dans les êtres qui nous sont étrangers, elle est en nous-mêmes et c'est là qu'il faut travailler pour l'arracher tout à fait. Voilà ce que je sentis parfaitement dès que je commençai de revenir à moi. Ma raison ne me montrant qu'absurdités dans toutes les explications que je cherchais à donner à ce qui m'arrive, je compris que les causes, les instruments, les moyens de tout cela m'étant inconnus et inexplicables, devaient être nuls pour moi. Que je devais regarder tous les détails de ma destinée comme autant d'actes d'une pure fatalité où je ne devais supposer ni direction, ni intention, ni cause morale, qu'il fallait m'y soumettre sans raisonner et sans regimber, parce que cela était inutile, que tout ce que j'avais à faire encore sur la terre étant de m'y regarder comme un être purement passif, je ne devais point user à résister inutilement à ma destinée la force qui me restait pour la supporter. Voilà ce que je me disais. Ma raison, mon cœur y acquiesçaient et néanmoins je sentais ce cœur murmurer encore. D'où venait ce murmure? Je le cherchai, je le trouvai; il venait de l'amour-propre qui après s'être indigné contre les hommes se soulevait encore contre la raison.

Cette découverte n'était pas si facile à faire qu'on pourrait croire, car un innocent persécuté prend longtemps pour un pur amour de la justice l'orgueil de son petit individu. Mais aussi la véritable source, une fois bien connue, est facile à tarir ou du moins à détourner. L'estime de soi-même est le plus grand mobile des âmes fières, l'amour-propre, fertile en illusions, se déguise et se fait prendre pour cette estime, mais quand la fraude enfin se découvre et que l'amour-propre ne peut plus se cacher, dès lors il n'est plus à craindre et quoiqu'on l'étouffe avec peine on le subjugue au moins aisément.

Je n'eus jamais beaucoup de pente à l'amour-propre, mais cette passion factice s'était exaltée en moi dans le monde et surtout quand je fus auteur; j'en avais peut-être encore moins qu'un autre mais j'en avais prodigieusement. Les terribles leçons que j'ai reçues l'ont bientôt renfermé dans ses premières bornes; il commença par se révolter contre l'injustice mais il a fini par la dédaigner. En se repliant sur mon âme, en coupant les relations extérieures qui le rendent exigeant, en renonçant aux comparaisons, aux préférences, il s'est contenté que je fusse bon pour moi; alors, redevenant amour de moi-même, il est rentré dans l'ordre de la nature et m'a délivré du joug de l'opinion.

Dès lors j'ai retrouvé la paix de l'âme et presque la félicité; car, dans quelque situation qu'on se trouve ce n'est que par lui qu'on est constamment malheureux. Quand il se tait et que la raison parle elle nous console enfin de tous les maux qu'il n'a pas dépendu de nous d'éviter. Elle les anéantit même autant qu'ils n'agissent pas immédiatement sur nous, car on est sûr alors d'éviter leurs plus poignantes atteintes en cessant de s'en occuper. Ils ne sont rien pour celui qui n'y pense pas. Les offenses, les vengeances, les passe-droits, les outrages, les injustices ne sont rien pour celui qui ne voit dans les maux qu'il endure que le mal même et non pas l'intention, pour celui dont la place ne dépend pas dans sa propre estime de celle qu'il plaît aux autres de lui accorder. De quelque façon que les hommes veuillent me voir, ils ne sauraient changer mon être, et malgré leur puissance et malgré toutes leurs sourdes intrigues, je continuerai, quoi qu'ils fassent, d'être en dépit d'eux ce que je suis. Il est vrai que leurs dispositions à mon égard influent sur ma situation réelle, la barrière qu'ils ont mise entre eux et moi m'ôte toute ressource de subsistance et d'assistance dans ma vieillesse et mes besoins. Elle me rend l'argent même inutile, puisqu'il ne peut me procurer les services qui me sont nécessaires, il n'y a plus ni commerce ni secours réciproque ni correspondance entre eux et moi. Seul au milieu d'eux, je n'ai que moi seul pour ressource et cette ressource est bien faible à mon âge et dans l'état où je suis. Ces maux sont grands, mais ils ont perdu sur moi toute leur force depuis que j'ai su les supporter sans m'en irriter. Les points où le vrai besoin se fait sentir sont toujours rares. La prévoyance et l'imagination les multiplient, et c'est par cette continuité de sentiments qu'on s'inquiète et qu'on se rend malheureux. Pour moi j'ai beau savoir que je souffrirai demain, il me suffit de ne pas souffrir aujourd'hui pour être tranquille. Je ne m'affecte point du mal que je prévois mais seulement de celui que je sens, et cela le réduit à très peu de chose. Seul, malade et délaissé dans mon lit, j'y peux mourir d'indigence, de froid et de faim sans que personne s'en mette en peine. Mais qu'importe, si je ne m'en mets pas en peine moi-même et si je m'affecte aussi peu que les autres de mon destin quel qu'il soit? N'est-ce rien, surtout à mon âge, que d'avoir appris à voir la vie et la mort, la maladie et la santé, la richesse et la misère, la gloire et la diffamation avec la même indifférence? Tous les autres vieillards s'inquiètent de tout; moi je ne m'inquiète de rien, quoi qu'il puisse arriver tout m'est indifférent, et cette indifférence n'est pas l'ouvrage de ma sagesse, elle est celui de mes ennemis et devient une compensation des maux qu'ils me font. En me rendant insensible à l'adversité ils m'ont fait plus de bien que s'ils m'eussent épargné ses atteintes. En ne l'éprouvant pas je pourrais toujours la craindre, au lieu qu'en la subjuguant je ne la crains plus.

Cette disposition me livre, au milieu des traverses de ma vie, à l'incurie de mon naturel presque aussi pleinement que si je vivais dans la plus complète prospérité. Hors les courts moments où je suis rappelé par la présence des objets aux plus douloureuses inquiétudes, tout le reste du temps, livré par mes penchants aux affections qui m'attirent, mon cœur se nourrit encore des sentiments pour lesquels il était né, et j'en jouis avec des êtres imaginaires qui les produisent et qui les partagent comme si ces êtres existaient réellement. Ils existent pour moi qui les ai créés et je ne crains ni qu'ils me trahissent ni qu'ils m'abandonnent. Ils dureront autant que mes malheurs mêmes et suffiront pour me les faire oublier.

Tout me ramène à la vie heureuse et douce pour laquelle j'étais né. Je passe les trois quarts de ma vie ou occupé d'objets instructifs et même agréables auxquels je livre avec délices mon esprit et mes sens, ou avec les enfants de mes fantaisies que j'ai créés selon mon cœur et dont le commerce en nourrit les sentiments, ou avec moi seul, content de moi-même et déjà plein du bonheur que je sens m'être dû. En tout ceci l'amour de moi-même fait toute l'œuvre, l'amour-propre n'y entre pour rien. Il n'en est pas ainsi des tristes moments que je passe encore au milieu des hommes, jouet de leurs caresses traîtresses, de leurs compliments ampoulés et dérisoires, de leur mielleuse malignité. De quelque façon que je m'y sois pu prendre, l'amour-propre alors fait son jeu. La haine et l'animosité que je vois dans leurs cœurs à travers cette grossière enveloppe déchirent le mien de douleur; et l'idée d'être ainsi sottement pris pour dupe ajoute encore à cette douleur un dépit très puéril, fruit d'un sot amour-propre dont je sens toute la bêtise mais que je ne puis subjuguer. Les efforts que j'ai faits pour m'aguerrir à ces regards insultants et moqueurs sont incroyables. Cent fois j'ai passé par les promenades publiques et par les lieux les plus fréquentés dans l'unique dessein de m'exercer à ces cruelles luttes; non seulement je n'y ai pu parvenir mais je n'ai même rien avancé, et tous mes pénibles mais vains efforts m'ont laissé tout aussi facile à troubler, à navrer, à indigner qu'auparavant.

Dominé par mes sens quoi que je puisse faire, je n'ai jamais su résister à leurs impressions, et tant que l'objet agit sur eux mon cœur ne cesse d'en être affecté; mais ces affections passagères ne durent qu'autant que la sensation qui les cause. La présence de l'homme haineux m'affecte violemment, mais sitôt qu'il disparaît l'impression cesse; à l'instant que je ne le vois plus je n'y pense plus. J'ai beau savoir qu'il va s'occuper de moi, je ne saurais m'occuper de lui. Le mal que je ne sens point actuellement ne m'affecte en aucune sorte, le persécuteur que je ne vois point est nul pour moi. Je sens l'avantage que cette position donne à ceux qui disposent de ma destinée. Qu'ils en disposent donc tout à leur aise. J'aime encore mieux qu'ils me tourmentent sans résistance que d'être forcé de penser à eux pour me garantir de leurs coups.

Cette action de mes sens sur mon cœur fait le seul tourment de ma vie. Les jours où je ne vois personne, je ne pense plus à ma destinée, je ne la sens plus, je ne souffre plus, je suis heureux et content sans diversion, sans obstacle. Mais j'échappe rarement à quelque atteinte sensible et lorsque j'y pense le moins, un geste, un regard sinistre que j'aperçois, un mot envenimé que j'entends, un malveillant que je rencontre, suffit pour me bouleverser. Tout ce que je puis faire en pareil cas est d'oublier bien vite et de fuir. Le trouble de mon cœur disparaît avec l'objet qui l'a causé et je rentre dans le calme aussitôt que je suis seul. Ou si quelque chose m'inquiète, c'est la crainte de rencontrer sur mon passage quelque nouveau sujet de douleur. C'est là ma seule peine; mais elle suffit pour altérer mon bonheur. Je loge au milieu de Paris. En sortant de chez moi je soupire après la campagne et la solitude, mais il faut l'aller chercher si loin qu'avant de pouvoir respirer à mon aise je trouve en mon chemin mille objets qui me serrent le cœur, et la moitié de la journée se passe en angoisses avant que j'aie atteint l'asile que je vais chercher. Heureux du moins quand on me laisse achever ma route. Le moment où j'échappe au cortège des méchants est délicieux, et sitôt que je me vois sous les arbres, au milieu de la verdure, je crois me voir dans le paradis terrestre et je goûte un plaisir interne aussi vif que si j'étais le plus heureux des mortels.

Je me souviens parfaitement que durant mes courtes prospérités ces mêmes promenades solitaires qui me sont aujourd'hui si délicieuses m'étaient insipides et ennuyeuses. Quand j'étais chez quelqu'un à la campagne, le besoin de faire de l'exercice et de respirer le grand air me faisait souvent sortir seul, et m'échappant comme un voleur je m'allais promener dans le parc ou dans la campagne; mais loin d'y trouver le calme heureux que j'y goûte aujourd'hui, j'y portais l'agitation des vaines idées qui m'avaient occupé dans le salon; le souvenir de la compagnie que j'y avais laissée m'y suivait. Dans la solitude, les vapeurs de l'amour-propre et le tumulte du monde ternissaient à mes yeux la fraîcheur des bosquets et troublaient la paix de la retraite. J'avais beau fuir au fond des bois, une foule importune m'y suivait partout et voilait pour moi toute la nature. Ce n'est qu'après m'être détaché des passions sociales et de leur triste cortège que je l'ai retrouvée avec tous ses charmes.

Convaincu de l'impossibilité de contenir ces premiers mouvements involontaires, j'ai cessé tous mes efforts pour cela. Je laisse à chaque atteinte mon sang s'allumer, la colère et l'indignation s'emparer de mes sens, je cède à la nature cette première explosion que toutes mes forces ne pourraient arrêter ni suspendre. Je tâche seulement d'en arrêter les suites avant qu'elle ait produit aucun effet. Les yeux étincelants, le feu du visage, le tremblement des membres, les suffocantes palpitations, tout cela tient au seul physique et le raisonnement n'y peut rien; mais après avoir laissé faire au naturel sa première explosion l'on peut redevenir son propre maître en reprenant peu à peu ses sens; c'est ce que j'ai tâché de faire longtemps sans succès, mais enfin plus heureusement. Et cessant d'employer ma force en vaine résistance, j'attends le moment de vaincre en laissant agir ma raison, car elle ne me parle que quand elle peut se faire écouter. Eh! que dis-je, hélas! ma raison? J'aurais grand tort encore de lui faire l'honneur du triomphe, car elle n'y a guère de part. Tout vient également d'un tempérament versatile qu'un vent impétueux agite, mais qui rentre dans le calme à l'instant que le vent ne souffle plus. C'est mon naturel ardent qui m'agite, c'est mon naturel indolent qui m'apaise. Je cède à toutes les impulsions présentes, tout choc me donne un mouvement vif et court; sitôt qu'il n'y a plus de choc, le mouvement cesse, rien de communiqué ne peut se prolonger en moi. Tous les événements de la fortune, toutes les machines des hommes ont peu de prise sur un homme ainsi constitué. Pour m'affecter de peines durables, il faudrait que l'impression se renouvelât à chaque instant. Car les intervalles, quelques courts qu'ils soient, suffisent pour me rendre à moi-même. Je suis ce qu'il plaît aux hommes tant qu'ils peuvent agir sur mes sens; mais au premier instant de relâche, je redeviens ce que la nature a voulu, c'est là, quoi qu'on puisse faire, mon état le plus constant et celui par lequel en dépit de la destinée je goûte un bonheur pour lequel je me sens constitué. J'ai décrit cet état dans une de mes rêveries. Il me convient si bien que je ne désire autre chose que sa durée et ne crains que de le voir troublé. Le mal que m'ont fait les hommes ne me touche en aucune sorte; la crainte seule de celui qu'ils peuvent me faire encore est capable de m'agiter; mais certain qu'ils n'ont plus de nouvelle prise par laquelle ils puissent m'affecter d'un sentiment permanent, je me ris de toutes leurs trames et je jouis de moi-même en dépit d'eux.

NEUVIÈME PROMENADE

Le bonheur est un état permanent qui ne semble pas fait ici-bas pour l'homme. Tout est sur la terre dans un flux continuel qui ne permet à rien d'y prendre une forme constante. Tout change autour de nous. Nous changeons nous-mêmes et nul ne peut s'assurer qu'il aimera demain ce qu'il aime aujourd'hui. Ainsi tous nos projets de félicité pour cette vie sont des chimères. Profitons du contentement d'esprit quand il vient; gardons-nous de l'éloigner par notre faute, mais ne faisons pas des projets pour l'enchaîner, car ces projets-là sont de pures folies. J'ai peu vu d'hommes heureux, peut-être point; mais j'ai souvent vu des cœurs contents, et de tous les objets qui m'ont frappé c'est celui qui m'a le plus contenté moi-même. Je crois que c'est une suite naturelle du pouvoir des sensations sur mes sentiments internes. Le bonheur n'a point d'enseigne extérieure; pour le connaître il faudrait lire dans le cœur de l'homme heureux; mais le contentement se lit dans les yeux, dans le maintien, dans l'accent, dans la démarche, et semble se communiquer à celui qui l'aperçoit. Est-il une jouissance plus douce que de voir un peuple entier se livrer à la joie un jour de fête et tous les cœurs s'épanouir aux rayons expansifs du plaisir qui passe rapidement, mais vivement, à travers les nuages de la vie?

Il y a trois jours que M. P. vint avec un empressement extraordinaire me montrer l'éloge de madame Geoffrin par M. d'Alembert. La lecture fut précédée de longs et grands éclats de rire sur le ridicule néologisme de cette pièce et sur les badins jeux de mots dont il la disait remplie. Il commença de lire en riant toujours, je l'écoutai d'un sérieux qui le calma, et voyant que je ne l'imitais point, il cessa enfin de rire. L'article le plus long et le plus recherché de cette pièce roulait sur le plaisir que prenait madame Geoffrin à voir les enfants et à les faire causer. L'auteur tirait avec raison de cette disposition une preuve de bon naturel. Mais il ne s'arrêtait pas là et il accusait décidément de mauvais naturel et de méchanceté tous ceux qui n'avaient pas le même goût, au point de dire que si l'on interrogeait là-dessus ceux qu'on mène au gibet ou à la roue tous conviendraient qu'ils n'avaient pas aimé les enfants. Ces assertions faisaient un effet singulier dans la place où elles étaient. Supposant tout cela vrai, était-ce là l'occasion de le dire et fallait-il souiller l'éloge d'une femme estimable des images de supplice et de malfaiteur? Je compris aisément le motif de cette affectation vilaine et quand M. P. eut fini de lire, en relevant ce qui m'avait paru bien dans l'éloge, j'ajoutai que l'auteur en l'écrivant avait dans le cœur moins d'amitié que de haine.

Le lendemain, le temps étant assez beau quoique froid, j'allai faire une course jusqu'à l'École militaire, comptant d'y trouver des mousses en pleine fleur. En allant, je rêvais sur la visite de la veille et sur l'écrit de M. d'Alembert où je pensais bien que le placage épisodique n'avait pas été mis sans dessein, et la seule affectation de m'apporter cette brochure, à moi à qui l'on cache tout, m'apprenait assez quel en était l'objet. J'avais mis mes enfants aux Enfants-Trouvés, c'en était assez pour m'avoir travesti en père dénaturé, et de là, en étendant et caressant cette idée, on en avait peu à peu tiré la conséquence évidente que je haïssais les enfants; en suivant par la pensée la chaîne de ces gradations j'admirais avec quel art l'industrie humaine sait changer les choses du blanc au noir. Car je ne crois pas que jamais homme ait plus aimé que moi à voir de petits bambins folâtrer et jouer ensemble, et souvent dans la rue et aux promenades je m'arrête à regarder leur espièglerie et leurs petits jeux avec un intérêt que je ne vois partager à personne. Le jour même où vint M. P., une heure avant sa visite j'avais eu celle des deux petits du Soussoi, les plus jeunes enfants de mon hôte, dont l'aîné peut avoir sept ans : ils étaient venus m'embrasser de si bon cœur et je leur avais rendu si tendrement leurs caresses que malgré la disparité des âges ils avaient paru se plaire avec moi sincèrement, et pour moi j'étais transporté d'aise de voir que ma vieille figure ne les avait pas rebutés. Le cadet même paraissait revenir à moi si volontiers que, plus enfant qu'eux, je me sentais attacher à lui déjà par préférence et je le vis partir avec autant de regret que s'il m'eût appartenu.

Je comprends que le reproche d'avoir mis mes enfants aux Enfants-Trouvés a facilement dégénéré, avec un peu de tournure, en celui d'être un père dénaturé et de haïr les enfants. Cependant il est sûr que c'est la crainte d'une destinée pour eux mille fois pire et presque inévitable par toute autre voie qui m'a le plus déterminé dans cette démarche. Plus indifférent sur ce qu'ils deviendraient et hors d'état de les élever moi-même, il aurait fallu dans ma situation les laisser élever par leur mère qui les aurait gâtés et par sa famille qui en aurait fait des monstres. Je frémis encore d'y penser. Ce que Mahomet fit de Séide n'est rien auprès de ce qu'on aurait fait d'eux à mon égard, et les pièges qu'on m'a tendus là-dessus dans la suite me confirment assez que le projet en avait été formé. A la vérité j'étais bien éloigné de prévoir alors ces trames atroces : mais je savais que l'éducation pour eux la moins périlleuse était celle des Enfants-Trouvés et je les y mis. Je le ferais encore avec bien moins de doute aussi si la chose était à faire, et je sais bien que nul père n'est plus tendre que je l'aurais été pour eux, pour peu que l'habitude eût aidé la nature.

Si j'ai fait quelque progrès dans la connaissance du cœur humain, c'est le plaisir que j'avais à voir et observer les enfants qui m'a valu cette connaissance. Ce même plaisir dans ma jeunesse y a mis une espèce d'obstacle, car je jouais avec les enfants si gaiement et de si bon cœur que je ne songeais guère à les étudier. Mais quand en vieillissant j'ai vu que ma figure caduque les inquiétait, je me suis abstenu de les importuner, et j'ai mieux aimé me priver d'un plaisir que de troubler leur joie; et, content alors de me satisfaire en regardant leurs jeux et tous leurs petits manèges, j'ai trouvé le dédommagement de mon sacrifice dans les lumières que ces observations m'ont fait acquérir sur les premiers et vrais mouvements de la nature auxquels tous nos savants ne connaissent rien. J'ai consigné dans mes écrits la preuve que je m'étais occupé de cette recherche trop soigneusement pour ne l'avoir pas faite avec plaisir, et ce serait assurément la chose du monde la plus incroyable que l'*Héloïse* et l'*Émile* fussent l'ouvrage d'un homme qui n'aimait pas les enfants.

Je n'eus jamais ni présence d'esprit ni facilité de parler; mais depuis mes malheurs ma langue et ma tête se sont de plus en plus embarrassées. L'idée et le mot propre m'échappent également, et rien n'exige un meilleur discernement et un choix d'expression plus justes que les propos qu'on tient aux enfants. Ce qui augmente encore en moi cet embarras est l'attention des écoutants, les interprétations et le poids qu'ils donnent à tout ce qui part d'un homme qui, ayant écrit expressément pour les enfants, est supposé ne devoir leur parler que par oracles. Cette gêne extrême et l'inaptitude que je me sens me trouble, me déconcerte et je serais bien plus à mon aise devant un monarque d'Asie que devant un bambin qu'il faut faire babiller.

Un autre inconvénient me tient maintenant plus éloigné d'eux, et depuis mes malheurs je les vois toujours avec le même plaisir, mais je n'ai plus avec eux la même familiarité. Les enfants n'aiment pas la vieillesse, l'aspect de la nature défaillante est hideux à leurs yeux, leur répugnance que j'aperçois me navre; et j'aime mieux m'abstenir de les caresser que de leur donner de la gêne ou du dégoût. Ce motif qui n'agit que sur des âmes vraiment aimantes est nul pour tous nos docteurs et doctoresses. Madame Geoffrin s'embarrassait fort peu que les enfants eussent du plaisir avec elle pourvu qu'elle en eût avec eux. Mais pour moi ce plaisir est pis que nul, il est négatif quand il n'est pas partagé, et je ne suis plus dans la situation ni dans l'âge où je voyais le petit cœur d'un enfant s'épanouir avec le mien. Si cela pouvait m'arriver encore, ce plaisir devenu plus rare n'en serait pour moi que plus vif : je l'éprouvais bien l'autre matin par celui que je prenais à caresser les petits du Soussoi, non seulement parce que la bonne qui les conduisait ne m'en imposait pas beaucoup et que je sentais moins le besoin de m'écouter devant elle, mais encore parce que l'air jovial avec lequel ils m'abordèrent ne les quitta point, et qu'ils ne parurent ni se déplaire ni s'ennuyer avec moi.

Oh! si j'avais encore quelques moments de pures caresses qui vinssent du cœur ne fût-ce que d'un enfant encore en jaquette, si je pouvais voir encore dans quelques yeux la joie et le contentement d'être avec moi, de combien de maux et de peines ne me dédommageraient pas ces courts mais doux épanchements de mon cœur? Ah! je ne serais pas obligé de chercher parmi les animaux le regard de la bienveillance qui m'est désormais refusé parmi les humains. J'en puis juger sur bien peu d'exemples, mais toujours chers à mon souvenir. En voici un qu'en tout autre état j'aurais oublié presque et dont l'impression qu'il a faite sur moi peint bien toute ma misère. Il y a deux ans que, m'étant allé promener du côté de la Nouvelle-France, je poussai plus loin, puis, tirant à gauche et voulant tourner autour de Montmartre, je traversai le village de Clignancourt. Je marchais distrait et rêvant sans regarder autour de moi quand tout à coup je me sentis saisir les genoux. Je regarde et je vois un petit enfant de cinq à six ans qui serrait mes genoux de toute sa force en me regardant d'un air si familier et si caressant que mes entrailles s'émurent; je me disais : C'est ainsi que j'aurais été traité des miens. Je pris l'enfant dans mes bras, je le baisai plusieurs fois dans une espèce de transport et puis je continuai mon chemin. Je sentais en marchant qu'il me manquait quelque chose, un besoin naissant me ramenait sur mes pas. Je me reprochais d'avoir quitté si brusquement cet enfant, je croyais voir dans son action sans cause apparente une sorte d'inspiration qu'il ne fallait pas dédaigner. Enfin, cédant à la tentation, je reviens sur mes pas, je cours à l'enfant, je l'embrasse de nouveau et je lui donne de quoi acheter des petits pains de Nanterre dont le marchand passait là par hasard, et je commençai à le faire jaser. Je lui demandai qui était son père; il me le montra qui reliait des tonneaux. J'étais prêt à quitter l'enfant pour aller lui parler quand je vis que j'avais été prévenu par un homme de mauvaise mine qui me parut être une de ces mouches qu'on tient sans cesse à mes trousses. Tandis que cet homme lui parlait à l'oreille, je vis les regards du tonnelier se fixer attentivement sur moi d'un air qui n'avait rien d'amical. Cet objet me resserra le cœur à l'instant et je quittai le père et l'enfant avec plus de promptitude encore que je n'en avais mis à revenir sur mes pas, mais dans un trouble moins agréable qui changea toutes mes dispositions.

Je les ai pourtant senties renaître souvent depuis lors, je suis repassé plusieurs fois par Clignancourt dans l'espérance d'y revoir cet enfant, mais je n'ai plus revu ni lui ni le père, et il ne m'est plus resté de cette rencontre qu'un souvenir assez vif mêlé toujours de douceur et de tristesse, comme toutes les émotions qui pénètrent encore quelquefois jusqu'à mon cœur.

Il y a compensation à tout. Si mes plaisirs sont rares et courts, je les goûte aussi plus vivement quand ils viennent que s'ils m'étaient plus familiers; je les rumine pour ainsi dire par de fréquents souvenirs, et quelque rares qu'ils soient, s'ils étaient purs et sans mélange je serais plus heureux peut-être que dans ma prospérité. Dans l'extrême misère on se trouve riche de peu. Un gueux qui trouve un écu en est plus affecté que ne le serait un riche en trouvant une bourse d'or. On rirait si l'on voyait dans mon âme l'impression qu'y font les moindres plaisirs de cette espèce que je puis dérober à la vigilance de mes persécuteurs. Un des plus doux s'offrit il y a quatre ou cinq ans, que je ne me rappelle jamais sans me sentir ravi d'aise d'en avoir si bien profité.

Un dimanche nous étions allés, ma femme et moi, dîner à la porte Maillot. Après le dîner nous traversâmes le bois de Boulogne jusqu'à la Muette; là nous nous assîmes sur l'herbe à l'ombre en attendant que le soleil fût baissé pour nous en retourner ensuite tout doucement par Passy. Une vingtaine de petites filles conduites par une manière de religieuse vinrent les unes s'asseoir, les autres folâtrer assez près de nous. Durant leurs jeux vint à passer un oublieur avec son tambour et son tourniquet, qui cherchait pratique. Je vis que les petites filles convoitaient fort les oublies, et deux ou trois d'entre elles, qui apparemment possédaient quelques liards, demandèrent la permission de jouer. Tandis que la gouvernante hésitait et disputait, j'appelai l'oublieur et je lui dis : Faites tirer toutes ces demoiselles chacune à son tour et je vous paierai le tout. Ce mot répandit dans toute la troupe une joie qui seule eût plus que payé ma bourse quand je l'aurais toute employée à cela.

Comme je vis qu'elles s'empressaient avec un peu de confusion, avec l'agrément de la gouvernante je les fis ranger toutes d'un côté, et puis passer de l'autre côté l'une après l'autre à mesure qu'elles avaient tiré. Quoiqu'il n'y eût point de billet blanc et qu'il revînt au moins une oublie à chacune de celles qui n'auraient rien, qu'aucune d'elles ne pouvait être absolument mécontente, afin de rendre la fête encore plus gaie, je dis en secret à l'oublieur d'user de son adresse ordinaire en sens contraire en faisant tomber autant de bons lots qu'il pourrait, et que je lui en tiendrais compte. Au moyen de cette prévoyance, il y eut tout près d'une centaine d'oublies distribuées, quoique les jeunes filles ne tirassent chacune qu'une seule fois, car là-dessus je fus inexorable, ne voulant ni favoriser des abus ni marquer des préférences qui produiraient des mécontentements. Ma femme insinua à celles qui avaient de bons lots d'en faire part à leurs camarades, au moyen de quoi le partage devint presque égal et la joie plus générale.

Je priai la religieuse de vouloir bien tirer à son tour, craignant fort qu'elle ne rejetât dédaigneusement mon offre; elle l'accepta de bonne grâce, tira comme les pensionnaires et prit sans façon ce qui lui revint. Je lui en sus un gré infini, et je trouvai à cela une sorte de politesse qui me plut fort et qui vaut bien, je crois, celle des simagrées. Pendant toute cette opération il y eut des disputes qu'on porta devant mon tribunal, et ces petites filles venant plaider tour à tour leur cause me donnèrent occasion de remarquer que, quoiqu'il n'y en eût aucune de jolie, la gentillesse de quelques-unes faisait oublier leur laideur.

Nous nous quittâmes enfin très contents les uns des autres; et cet après-midi fut un de ceux de ma vie dont je me rappelle le souvenir avec le plus de satisfaction. La fête au reste ne fut pas ruineuse, pour trente sous qu'il m'en coûta tout au plus, il y eut pour plus de cent écus de contentement. Tant il est vrai que le vrai plaisir ne se mesure pas sur la dépense et que la joie est plus amie des liards que des louis. Je suis revenu plusieurs fois à la même place à la même heure, espérant d'y rencontrer encore la petite troupe, mais cela n'est plus arrivé.

Ceci me rappelle un autre amusement à peu près de même espèce dont le souvenir m'est resté de beaucoup plus loin. C'était dans le malheureux temps où, faufilé parmi les riches et les gens de lettres, j'étais quelquefois réduit à partager leurs tristes plaisirs. J'étais à la Chevrette au temps de la fête du maître de la maison; toute sa famille s'était réunie pour la célébrer, et tout l'éclat des plaisirs bruyants fut mis en œuvre pour cet effet. Spectacles, festins, feux d'artifice, rien ne fut épargné. L'on n'avait pas le temps de prendre haleine et l'on s'étourdissait au lieu de s'amuser. Après le dîner on alla prendre l'air dans l'avenue, où se tenait une espèce de foire. On dansait, les messieurs daignèrent danser avec les paysannes, mais les dames gardèrent leur dignité. On vendait là des pains d'épice. Un jeune homme de la compagnie s'avisa d'en acheter pour les lancer l'un après l'autre au milieu de la foule, et l'on prit tant de plaisir à voir tous ces manants se précipiter, se battre, se renverser pour en avoir, que tout le monde voulut se donner le même plaisir. Et pains d'épice de voler à droite et à gauche, et filles et garçons de courir, de s'entasser et s'estropier; cela paraissait charmant à tout le monde.

Je fis comme les autres par mauvaise honte, quoique en dedans je ne m'amusasse pas autant qu'eux. Mais bientôt ennuyé de vider ma bourse pour faire écraser les gens, je laissai là la bonne compagnie et je fus me promener seul dans la foire. La variété des objets m'amusa longtemps. J'aperçus entre autres cinq ou six Savoyards autour d'une petite fille qui avait encore sur son éventaire une douzaine de chétives pommes dont elle aurait bien voulu se débarrasser. Les Savoyards de leur côté auraient bien voulu l'en débarrasser, mais ils n'avaient que deux ou trois liards à eux tous et ce n'était pas de quoi faire une grande brèche aux pommes. Cet éventaire était pour eux le jardin des Hespérides, et la petite fille était le dragon qui les gardait. Cette comédie m'amusa longtemps; j'en fis enfin le dénouement en payant les pommes à la petite fille et les lui faisant distribuer aux petits garçons. J'eus alors un des plus doux spectacles qui puissent flatter un cœur d'homme, celui de voir la joie unie avec l'innocence de l'âge se répandre tout autour de moi. Car les spectateurs même en la voyant la partagèrent, et moi qui partageais à si bon marché cette joie, j'avais de plus celle de sentir qu'elle était mon ouvrage.

En comparant cet amusement avec ceux que je venais de quitter, je sentais avec satisfaction la différence qu'il y a des goûts sains et des plaisirs naturels à ceux que fait naître l'opulence, et qui ne sont guère que des plaisirs de moquerie et des goûts exclusifs engendrés par le mépris. Car quelle sorte de plaisir pouvait-on prendre à voir des troupeaux d'hommes avilis par la misère s'entasser, s'estropier brutalement pour s'arracher avidement quelques morceaux de pains d'épice foulés aux pieds et couverts de boue?

De mon côté, quand j'ai bien réfléchi sur l'espèce de volupté que je goûtais dans ces sortes d'occasions, j'ai trouvé qu'elle consistait moins dans un sentiment de bienfaisance que dans le plaisir de voir des visages contents. Cet aspect a pour moi un charme qui, bien qu'il pénètre jusqu'à mon cœur, semble être uniquement de sensation. Si je ne vois la satisfaction que je cause, quand même j'en serais sûr je n'en jouirais qu'à demi. C'est même pour moi un plaisir désintéressé qui ne dépend pas de la part que j'y puis avoir. Car dans les fêtes du peuple celui de voir des visages gais m'a toujours vivement attiré. Cette attente a pourtant été souvent frustrée en France où cette nation qui se prétend si gaie montre peu cette gaieté dans ses jeux. Souvent j'allais jadis aux guinguettes pour y voir danser le menu peuple : mais ses danses étaient si maussades, son maintien si dolent, si gauche, que j'en sortais plutôt contristé que réjoui. Mais à Genève et en Suisse, où le rire ne s'évapore pas sans cesse en folles malignités, tout respire le contentement et la gaieté dans les fêtes, la misère n'y porte point son hideux aspect, le faste n'y montre pas non plus son insolence; le bien-être, la fraternité, la concorde y disposent les cœurs à s'épanouir, et souvent dans les transports d'une innocente joie les inconnus s'accostent, s'embrassent et s'invitent à jouir de concert des plaisirs du jour. Pour jouir moi-même de ces aimables fêtes, je n'ai pas besoin d'en être, il me suffit de les voir; en les voyant, je les partage; et parmi tant de visages gais, je suis bien sûr qu'il n'y a pas un cœur plus gai que le mien.

Quoique ce ne soit là qu'un plaisir de sensation il a certainement une cause morale, et la preuve en est que ce même aspect, au lieu de me flatter, de me plaire, peut me déchirer de douleur et d'indignation quand je sais que ces signes de plaisir et de joie sur les visages des méchants ne sont que des marques que leur malignité est satisfaite. La joie innocente est la seule dont les signes flattent mon cœur. Ceux de la cruelle et moqueuse joie le navrent et l'affligent quoiqu'elle n'ait nul rapport à moi. Ces signes sans doute ne sauraient être exactement les mêmes, partant de principes si différents : mais enfin ce sont également des signes de joie, et leurs différences sensibles ne sont assurément pas proportionnelles à celles des mouvements qu'ils excitent en moi.

Ceux de douleur et de peine me sont encore plus sensibles, au point qu'il m'est impossible de les soutenir sans être agité moi-même d'émotions peut-être encore plus vives que celles qu'ils représentent. L'imagination renforçant la sensation m'identifie avec l'être souffrant et me donne souvent plus d'angoisse qu'il n'en sent lui-même. Un visage mécontent est encore un spectacle qu'il m'est impossible de soutenir, surtout si j'ai lieu de penser que ce mécontentement me regarde. Je ne saurais dire combien l'air grognard et maussade des valets qui servent en rechignant m'a arraché d'écus dans les maisons où j'avais autrefois la sottise de me laisser entraîner, et où les domestiques m'ont toujours fait payer bien chèrement l'hospitalité des maîtres. Toujours trop affecté des objets sensibles et surtout de ceux qui portent signe de plaisir ou de peine, de bienveillance ou d'aversion, je me laisse entraîner par ces impressions extérieures sans pouvoir jamais m'y dérober autrement que par la fuite. Un signe, un geste, un coup d'œil d'un inconnu suffit pour troubler mes plaisirs ou calmer mes peines; je ne suis à moi que quand je suis seul, hors de là je suis le jouet de tous ceux qui m'entourent.

Je vivais jadis avec plaisir dans le monde quand je n'y voyais dans tous les yeux que bienveillance, ou tout au pis indifférence dans ceux à qui j'étais inconnu. Mais aujourd'hui qu'on ne prend pas moins de peine à montrer mon visage au peuple qu'à lui masquer mon naturel, je ne puis mettre le pied dans la rue sans m'y voir entouré d'objets déchirants; je me hâte de gagner à grands pas la campagne; sitôt que je vois la verdure, je commence à respirer. Faut-il s'étonner si j'aime la solitude? Je ne vois qu'animosité sur les visages des hommes, et la nature me rit toujours.

Je sens pourtant encore, il faut l'avouer, du plaisir à vivre au milieu des hommes tant que mon visage leur est inconnu. Mais c'est un plaisir qu'on ne me laisse guère. J'aimais encore il y a quelques années à traverser les villages et à voir au matin les laboureurs raccommoder leurs fléaux ou les femmes sur leur porte avec leurs enfants. Cette vue avait je ne sais quoi qui touchait mon cœur. Je m'arrêtais quelquefois, sans y prendre garde, à regarder les petits manèges de ces bonnes gens, et je me sentais soupirer sans savoir pourquoi. J'ignore si l'on m'a vu sensible à ce petit plaisir et si l'on a voulu me l'ôter encore; mais au changement que j'aperçois sur les physionomies à mon passage, et à l'air dont je suis regardé, je suis bien forcé de comprendre qu'on a pris grand soin de m'ôter cet incognito. La même chose m'est arrivée et d'une façon plus marquée encore aux Invalides. Ce bel établissement m'a toujours intéressé. Je ne vois jamais sans attendrissement et vénération ces groupes de bons vieillards qui peuvent dire comme ceux de Lacédémone :

Nous avons été jadis
Jeunes, vaillants et hardis.

Une de mes promenades favorites était autour de l'École militaire et je rencontrais avec plaisir çà et là quelques invalides qui, ayant conservé l'ancienne honnêteté militaire, me saluaient en passant. Ce salut que mon cœur leur rendait au centuple me flattait et augmentait le plaisir que j'avais à les voir. Comme je ne sais rien cacher de ce qui me touche, je parlais souvent des invalides et de la façon dont leur aspect m'affectait. Il n'en fallut pas davantage. Au bout de quelque temps je m'aperçus que je n'étais plus un inconnu pour eux, ou plutôt que je le leur étais bien davantage puisqu'ils me voyaient du même œil que fait le public. Plus d'honnêteté, plus de salutations. Un air repoussant, un regard farouche avaient succédé à leur première urbanité. L'ancienne franchise de leur métier ne leur laissant pas comme aux autres couvrir leur animosité d'un masque ricaneur et traître, ils me montrent tout ouvertement la plus violente haine, et tel est l'excès de ma misère que je suis forcé de distinguer dans mon estime ceux qui me déguisent le moins leur fureur.

Depuis lors je me promène avec moins de plaisir du côté des Invalides; cependant, comme mes sentiments pour eux ne dépendent pas des leurs pour moi, je ne vois jamais sans respect et sans intérêt ces anciens défenseurs de leur patrie : mais il m'est bien dur de me voir si mal payé de leur part de la justice que je leur rends. Quand par hasard j'en rencontre quelqu'un qui a échappé aux instructions communes, ou qui ne connaissant pas ma figure ne me montre aucune aversion, l'honnête salutation de ce seul-là me dédommage du maintien rébarbatif des autres. Je les oublie pour ne m'occuper que de lui, et je m'imagine qu'il a une de ces âmes comme la mienne où la haine ne saurait pénétrer. J'eus encore ce plaisir l'année dernière en passant l'eau pour m'aller promener à l'île aux Cygnes. Un pauvre vieux invalide dans un bateau attendait compagnie pour traverser. Je me présentai; je dis au batelier de partir. L'eau était forte et la traversée fut longue. Je n'osais presque pas adresser la parole à l'invalide de peur d'être rudoyé et rebuté comme à l'ordinaire, mais son air honnête me rassura. Nous causâmes. Il me parut homme de sens et de mœurs. Je fus surpris et charmé de son ton ouvert et affable, je n'étais pas accoutumé à tant de faveur; ma surprise cessa quand j'appris qu'il arrivait tout nouvellement de province. Je compris qu'on ne lui avait pas encore montré ma figure et donné ses instructions. Je profitai de cet incognito pour converser quelques moments avec un homme et je sentis à la douceur que j'y trouvais combien la rareté des plaisirs les plus communs est capable d'en augmenter le prix. En sortant du bateau il préparait ses deux pauvres liards. Je payai le passage et le priai de les resserrer en tremblant de le cabrer. Cela n'arriva point; au contraire il parut sensible à mon attention et surtout à celle que j'eus encore, comme il était plus vieux que moi, de lui aider à sortir du bateau. Qui croirait que je fus assez enfant pour en pleurer d'aise? Je mourais d'envie de lui mettre une pièce de vingt-quatre sous dans la main pour avoir du tabac; je n'osai jamais. La même honte qui me retint m'a souvent empêché de faire de bonnes actions qui m'auraient comblé de joie et dont je ne me suis abstenu qu'en déplorant mon imbécillité. Cette fois, après avoir quitté mon vieux invalide, je me consolai bientôt en pensant que j'aurais pour ainsi dire agi contre mes propres principes en mêlant aux choses honnêtes un prix d'argent qui dégrade leur noblesse et souille leur désintéressement. Il faut s'empresser de secourir ceux qui en ont besoin, mais dans le commerce ordinaire de la vie laissons la bienveillance naturelle et l'urbanité faire chacune leur œuvre, sans que jamais rien de vénal et de mercantile ose approcher d'une si pure source pour la corrompre ou pour l'altérer. On dit qu'en Hollande le peuple se fait payer pour vous dire l'heure et pour vous montrer le chemin. Ce doit être un bien méprisable peuple que celui qui trafique ainsi des plus simples devoirs de l'humanité.

J'ai remarqué qu'il n'y a que l'Europe seule où l'on vende l'hospitalité. Dans toute l'Asie on vous loge gratuitement; je comprends qu'on n'y trouve pas si bien toutes ses aises. Mais n'est-ce rien que de se dire : Je suis homme et reçu chez des humains? C'est l'humanité pure qui me donne le couvert. Les petites privations s'endurent sans peine quand le cœur est mieux traité que le corps.

DIXIÈME PROMENADE

Aujourd'hui, jour de Pâques fleuries, il y a précisément cinquante ans de ma première connaissance avec madame de Warens. Elle avait vingt-huit ans alors, étant née avec le siècle. Je n'en avais pas encore dix-sept et mon tempérament naissant, mais que j'ignorais encore, donnait une nouvelle chaleur à un cœur naturellement plein de vie. S'il n'était pas étonnant qu'elle conçût de la bienveillance pour un jeune homme vif, mais doux et modeste, d'une figure assez agréable, il l'était encore moins qu'une femme charmante, pleine d'esprit et de grâces, m'inspirât avec la reconnaissance des sentiments plus tendres que je n'en distinguais pas. Mais ce qui est moins ordinaire est que ce premier moment décida de moi pour toute ma vie, et produisit par un enchaînement inévitable le destin du reste de mes jours. Mon âme dont mes organes n'avaient point développé les plus précieuses facultés n'avait encore aucune forme déterminée. Elle attendait dans une sorte d'impatience le moment qui devait la lui donner, et ce moment accéléré par cette rencontre ne vint pourtant pas sitôt, et dans la simplicité de mœurs que l'éducation m'avait donnée je vis longtemps prolonger pour moi cet état délicieux mais rapide où l'amour et l'innocence habitent le même cœur. Elle m'avait éloigné. Tout me rappelait à elle, il y fallut revenir. Ce retour fixa ma destinée, et longtemps encore avant de la posséder je ne vivais plus qu'en elle et pour elle. Ah! si j'avais suffi à son cœur comme elle suffisait au mien! Quels paisibles et délicieux jours nous eussions coulés ensemble! Nous en avons passé de tels, mais qu'ils ont été courts et rapides, et quel destin les a suivis! Il n'y a pas de jour où je ne me rappelle avec joie et attendrissement cet unique et court temps de ma vie où je fus moi pleinement, sans mélange et sans obstacle, et où je puis véritablement dire avoir vécu. Je puis dire à peu près comme ce préfet du prétoire qui disgracié sous Vespasien s'en alla finir paisiblement ses jours à la campagne : « J'ai passé soixante et dix ans sur la terre, et j'en ai vécu sept. » Sans ce court mais précieux espace je serais resté peut-être incertain sur moi, car tout le reste de ma vie, faible et sans résistance, j'ai été tellement agité, ballotté, tiraillé par les passions d'autrui, que presque passif dans une vie aussi orageuse j'aurais peine à démêler ce qu'il y a du mien dans ma propre conduite, tant la dure nécessité n'a cessé de s'appesantir sur moi. Mais durant ce petit nombre d'années, aimé d'une femme pleine de complaisance et de douceur, je fis ce que je voulais faire, je fus ce que je voulais être, et par l'emploi que je fis de mes loisirs, aidé de ses leçons et de son exemple, je sus donner à mon âme encore simple et neuve la forme qui lui convenait davantage et qu'elle a gardée toujours. Le goût de la solitude et de la contemplation naquit dans mon cœur avec les sentiments expansifs et tendres faits pour être son aliment. Le tumulte et le bruit les resserrent et les étouffent, le calme et la paix les raniment et les exaltent. J'ai besoin de me recueillir pour aimer. J'engageai maman à vivre à la campagne. Une maison isolée au penchant d'un vallon fut notre asile, et c'est là que dans l'espace de quatre ou cinq ans j'ai joui d'un siècle de vie et d'un bonheur pur et plein qui couvre de son charme tout ce que mon sort présent a d'affreux. J'avais besoin d'une amie selon mon cœur, je la possédais. J'avais désiré la campagne, je l'avais obtenue; je ne pouvais souffrir l'assujettissement, j'étais parfaitement libre, et mieux que libre, car assujetti par mes seuls attachements, je ne faisais que ce que je voulais faire. Tout mon temps était rempli par des soins affectueux ou par des occupations champêtres. Je ne désirais rien que la continuation d'un état si doux. Ma seule peine était la crainte qu'il ne durât pas longtemps, et cette crainte née de la gêne de notre situation n'était pas sans fondement. Dès lors je songeai à me donner en même temps des diversions sur cette inquiétude et des ressources pour en prévenir l'effet. Je pensai qu'une provision de talents était la plus sûre ressource contre la misère, et je résolus d'employer mes loisirs à me mettre en état, s'il était possible, de rendre un jour à la meilleure des femmes l'assistance que j'en avais reçue.

APPENDICE

MON PORTRAIT

LECTEURS, je pense volontiers à moi-même et je parle comme je pense. Dispensez-vous donc de lire cette préface si vous n'aimez pas qu'on parle de soi.

J'approche du terme de la vie et je n'ai fait aucun bien sur la terre. J'ai les intentions bonnes, mais il n'est pas toujours si facile de bien faire qu'on pense. Je conçois un nouveau genre de service à rendre aux hommes : c'est de leur offrir l'image fidèle de l'un d'entre eux afin qu'ils apprennent à se connaître.

Je suis observateur et non moraliste. Je suis le botaniste qui décrit la plante. C'est au médecin qu'il appartient d'en régler l'usage.

Mais je suis pauvre et quand le pain sera prêt à me manquer je ne sais pas de moyen plus honnête d'en avoir que de vivre de mon propre ouvrage.

Il y a bien des lecteurs que cette seule idée empêchera de poursuivre. Ils ne concevront pas qu'un homme qui a besoin de pain soit digne qu'on le connaisse. Ce n'est pas pour ceux-là que j'écris.

Je suis assez connu pour qu'on puisse aisément vérifier ce que je dis, et pour que mon livre s'élève contre moi si je mens.

Je vois que les gens qui vivent le plus intimement avec moi ne me connaissent pas, et qu'ils attribuent la plupart de mes actions, soit en bien soit en mal, à de tout autres motifs que ceux qui les ont produites. Cela m'a fait penser que la plupart des caractères et des portraits qu'on trouve dans les historiens ne sont que des chimères qu'avec de l'esprit un auteur rend aisément vraisemblables et qu'il fait rapporter aux principales actions d'un homme comme un peintre ajuste sur les cinq points une figure imaginaire.

Il est impossible qu'un homme incessamment répandu dans la société et sans cesse occupé à se contrefaire avec les autres ne se contrefasse pas un peu avec lui-même, et quand il aurait le temps de s'étudier il lui serait presque impossible de se connaître.

Si les princes mêmes sont peints par les historiens avec quelque uniformité, ce n'est pas, comme on le pense, parce qu'ils sont en vue et faciles à connaître; mais parce que le premier qui les a peints est copié par tous les autres. Il n'y a guère d'apparence que le fils de Livie ressemblât au Tibère de Tacite, c'est pourtant ainsi que nous le voyons tous, et l'on aime mieux voir un beau portrait qu'un portrait ressemblant.

Toutes les copies d'un même original se ressemblent; mais faites tirer le même visage par divers peintres, à peine tous ces portraits auront-ils entre eux le moindre rapport; sont-ils tous bons, ou quel est le vrai? Jugez des portraits de l'âme.

Ils prétendent que c'est par vanité qu'on parle de soi. Hé bien, si ce sentiment est en moi, pourquoi le cacherais-je? Est-ce par vanité qu'on montre sa vanité? Peut-être trouverais-je grâce devant des gens modestes, mais c'est la vanité des lecteurs qui va subtilisant sur la mienne.

Si je sors un moment de la règle, je m'en écarte à cent lieues. Si je touche à la bourse que j'amasse avec tant de peine, aussitôt tout est dissipé.

A quoi cela était-il bon à dire? A faire valoir le reste, à mettre de l'accord dans le tout; les traits du visage ne font leur effet que parce qu'ils y sont tous; s'il en manque un, le visage est défiguré. Quand j'écris, je ne songe point à cet ensemble, je ne songe qu'à dire ce que je sais, et c'est de là que résultent l'ensemble et la ressemblance du tout à son original.

Je suis persuadé qu'il importe au genre humain qu'on respecte mon livre. En vérité je crois qu'on n'en saurait user trop honnêtement avec l'auteur. Il ne faut pas corriger les hommes de parler sincèrement d'eux-mêmes. Au reste l'honnêteté que j'exige n'est pas pénible. Qu'on ne me parle jamais de mon livre et je serai content. Ce qui n'empêchera pas que chacun ne puisse dire au public ce qu'il en pense, car je ne lirai pas un mot de tout cela. J'ai droit de me croire capable de cette réserve, elle ne sera pas mon apprentissage.

Je ne me soucie point d'être remarqué, mais quand on me remarque je ne suis point fâché que ce soit d'une manière un peu distinguée, et j'aimerais mieux être oublié de tout le genre humain que regardé comme un homme ordinaire.

J'ai là-dessus une réflexion sans réplique à faire; c'est que, de la manière dont je suis connu dans le monde, j'ai moins à gagner qu'à perdre à me montrer tel que je suis. Quand même je voudrais me faire valoir, je passe pour un homme si singulier que, chacun se plaisant à amplifier, je n'ai qu'à me reposer sur la voix publique; elle me servira mieux que mes propres louanges. Ainsi, à ne consulter que mon intérêt, il serait plus adroit de laisser parler de moi les autres que d'en parler moi-même. Mais peut-être que par un autre retour d'amour-propre j'aime mieux qu'on en dise moins de bien et qu'on en parle davantage. Or si je laissais faire le public qui en a tant parlé, il serait fort à craindre qu'en peu de temps il n'en parlât plus.

Je ne prétends pas faire plus de grâce aux autres qu'à moi; car, ne pouvant me peindre au naturel sans les peindre eux-mêmes, je ferai, si l'on veut, comme les dévotes catholiques, je me confesserai pour eux et pour moi.

Au reste, je ne m'épuiserai point à protester de ma sincérité : si elle ne s'aperçoit pas dans cet ouvrage, si elle n'y porte pas témoignage d'elle-même, il faut croire qu'elle n'y est pas.

J'étais fait pour être le meilleur ami qui fût jamais, mais celui qui devait me répondre est encore à venir. Hélas, je suis dans l'âge où le cœur commence à se resserrer et ne s'ouvre plus à des amitiés nouvelles. Adieu donc, doux sentiment que j'ai tant cherché : il est trop tard pour être heureux.

J'ai un peu connu le ton des sociétés, les matières qu'on y traite et la manière de les traiter. Où est la grande merveille de passer sa vie dans des conversations oiseuses à discuter subtilement le pour et le contre et à établir un scepticisme moral qui rend indifférent aux hommes le choix du vice et de la vertu?

L'enfer du méchant est d'être réduit à vivre seul avec lui-même, mais c'est le paradis de l'homme de bien, et il n'y a point pour lui de spectacle plus agréable que celui de sa propre conscience.

Une preuve que j'ai moins d'amour-propre que les autres hommes ou que le mien est fait d'une autre manière, c'est la facilité que j'ai de vivre seul. Quoi qu'on en dise, on ne cherche à voir le monde que pour en être vu, et je crois qu'on peut toujours estimer le cas que fait un homme de l'approbation des autres par son empressement à la chercher. Il est vrai qu'on a grand soin de couvrir le motif de cet empressement du fard des belles paroles, société, devoirs, humanité. Je crois qu'il serait aisé de prouver que l'homme qui s'écarte le plus de la société est celui qui lui nuit le moins et que le plus grand de ses inconvénients est d'être trop nombreuse.

L'homme civil veut que les autres soient contents de lui, le solitaire est forcé de l'être lui-même ou sa vie lui est insupportable. Ainsi le second est forcé d'être vertueux, mais le premier peut n'être qu'un hypocrite, et peut-être est-il forcé de le devenir s'il est vrai que les apparences de la vertu valent mieux que sa pratique pour plaire aux hommes et faire son chemin parmi eux. Ceux qui voudront discuter ce point peuvent jeter les yeux sur le discours de [*nom laissé en blanc par Rousseau*] dans le second livre de la *République* de Platon. Que fait Socrate pour réfuter ce discours? Il établit une république idéale dans laquelle il prouve très bien que chacun sera estimé à proportion qu'il sera estimable et que le plus juste sera aussi le plus heureux. Gens de bien qui recherchez la société, allez donc vivre dans celle de Platon. Mais que tous ceux qui se plaisent à vivre parmi les méchants ne se flattent pas d'être bons.

Je crois qu'il n'y a point d'homme sur la vertu duquel on puisse moins compter que celui qui recherche le plus l'approbation des autres; il est aisé, je l'avoue, de dire qu'on ne s'en soucie pas; mais là-dessus il faut moins s'en rapporter à ce que dit un homme qu'à ce qu'il fait.

En tout ceci ce n'est pas de moi que je parle, car je ne suis solitaire que parce que je suis malade et paresseux; il est presque assuré que si j'étais sain et actif je ferais comme les autres.

Cette maison contient peut-être un homme fait pour être mon ami. Une personne digne de mes hommages se promène peut-être tous les jours dans ce parc.

Pour de l'argent et des services, ils sont toujours prêts; j'ai beau refuser ou mal recevoir, ils ne se rebutent jamais et m'importunent sans cesse de sollicitations qui me sont insupportables. Je suis accablé des choses dont je ne me soucie point. Les seules qu'ils me refusent sont les seules qui me seraient douces. Un sentiment doux, un tendre épanchement est encore à venir de leur part et l'on dirait qu'ils prodiguent leur fortune et leur temps pour épargner leur cœur.

Comme ils ne me parlent jamais d'eux, il faut bien que je leur parle de moi malgré que j'en aie.

Tant d'autres liens les enchaînent, tant de gens les consolent de moi qu'ils ne s'aperçoivent pas même de mon absence; s'ils s'en plaignent, ce n'est pas qu'ils en souffrent, mais c'est qu'ils savent bien que j'en souffre moi-même et qu'ils ne voient pas qu'il m'est moins dur de les regretter à la campagne que de ne pouvoir jouir d'eux à la ville.

Je ne reconnais pour vrais bienfaits que ceux qui peuvent contribuer à mon bonheur et c'est pour ceux-là que je suis pénétré de reconnaissance; mais certainement l'argent et les dons n'y contribuent pas, et quand je cède aux longues importunités d'une offre cent fois réitérée, c'est plutôt un malaise dont je me charge pour acquérir le repos qu'un avantage que je me procure. De quelque prix que soit un présent offert et quoi qu'il en coûte à celui qui l'offre, comme il me coûte encore plus à recevoir, c'est celui dont il vient qui m'est redevable, c'est à lui de n'être pas un ingrat; cela suppose, il est vrai, que ma pauvreté ne m'est point onéreuse et que je ne vais point à la quête des bienfaiteurs et des bienfaits; ces sentiments que j'ai toujours hautement professés témoigneront ce qu'il en est. Quant à la véritable amitié, c'est tout autre chose. Qu'importe qu'un des deux amis donne ou reçoive, et que les biens communs passent d'une main dans l'autre, on se souvient qu'on s'est aimés et tout est dit, on peut oublier tout le reste. J'avoue qu'un pareil principe est assez commode quand on est pauvre et qu'on a des amis riches. Mais il y a cette différence entre mes amis riches et pauvres, que les premiers m'ont recherché et que j'ai recherché les autres. C'est aux premiers à me faire oublier leur opulence. Pourquoi fuirais-je un ami dans l'opulence tant qu'il sait me la faire oublier, ne suffit-il pas que je lui échappe à l'instant que je m'en souviens?

Je n'aime pas même à demander la rue où j'ai à faire, parce que je dépends en cela de celui qui va me répondre. J'aime mieux errer deux heures à chercher inutilement; je porte une carte de Paris dans ma poche à l'aide de laquelle et d'une lorgnette je me retrouve à la fin, j'arrive crotté, recru, souvent trop tard mais tout consolé de ne rien devoir qu'à moi-même.

Je compte pour rien la douleur passée, mais je jouis encore du plaisir qui n'est plus. Je ne m'approprie que la peine présente, et mes travaux passés me semblent tellement étrangers à moi que quand j'en retire le prix il me semble que je jouis du travail d'un autre. Ce qu'il y a de bizarre en cela, c'est que, quand quelqu'un s'empare du fruit de mes soins, tout mon amour-propre se réveille, je sens la privation de ce qu'on m'ôte beaucoup plus que je n'en aurais senti la possession si on me l'eût laissé; à mon tort personnel se joint ma fureur contre toute injustice, et c'est être doublement injuste, au gré de ma colère, que d'être injuste envers moi.

Insensible à la convoitise, je suis fort attaché à la possession; je ne me soucie point d'acquérir mais je ne puis souffrir de perdre, et cela dans l'amitié comme dans les biens.

... De certains états d'âme qui ne tiennent pas seulement aux événements de ma vie mais aux objets qui m'ont été les plus familiers durant ces événements. De sorte que je ne saurais me rappeler un de ces états sans sentir en même temps modifier mon imagination de la même manière que l'étaient mes sens et mon être quand je l'éprouvais.

Les lectures que j'ai faites étant malade ne me flattent plus en santé. C'est une déplaisante mémoire locale qui me rend avec les idées du livre celles des maux que j'ai soufferts en le lisant. Pour avoir feuilleté Montaigne durant une attaque de pierre, je ne puis plus le lire avec plaisir dans mes moments de relâche. Il tourmente plus mon imagination qu'il ne contente mon esprit. Cette expérience me rend si follement retenu que de peur de m'ôter un consolateur je me les refuse tous, et n'ose presque plus quand je souffre lire aucun des livres que j'aime.

Je ne fais jamais rien qu'à la promenade, la campagne est mon cabinet; l'aspect d'une table, du papier et des livres me donne de l'ennui, l'appareil du travail me décourage, si je m'assieds pour écrire je ne trouve rien et la nécessité d'avoir de l'esprit me l'ôte. Je jette mes pensées éparses et sans suite sur des chiffons de papier, je couds ensuite tout cela tant bien que mal et c'est ainsi que je fais un livre. Jugez quel livre! J'ai du plaisir à méditer, chercher, inventer, le dégoût est de mettre en ordre; et la preuve que j'ai moins de raisonnement que d'esprit, c'est que les transitions sont toujours ce qui me coûte le plus : cela ne m'arriverait pas si les idées se liaient bien dans ma tête. Au reste mon opiniâtreté naturelle m'a fait lutter à dessein contre cette difficulté, j'ai toujours voulu donner de la suite à tous mes écrits et voici le premier ouvrage que j'ai divisé par chapitres.

Je me souviens d'avoir assisté une fois en ma vie à la mort d'un cerf, et je me souviens aussi qu'à ce noble spectacle je fus moins frappé de la joyeuse fureur des chiens, ennemis naturels de la bête, que de celle des hommes qui s'efforçaient de les imiter. Quant à moi, en considérant les derniers abois de ce malheureux animal et ses larmes attendrissantes, je sentis combien la nature est roturière, et je me promis bien qu'on ne me reverrait jamais à pareille fête.

Il n'est pas impossible qu'un auteur soit un grand homme, mais ce ne sera pas en faisant des livres ni en vers ni en prose qu'il deviendra tel.

Jamais Homère ni Virgile ne furent appelés de grands hommes quoiqu'ils soient de très grands poètes. Quelques auteurs se tuent d'appeler le poète Rousseau le grand Rousseau durant ma vie. Quand je serai mort le poète Rousseau sera un grand poète. Mais il ne sera plus le grand Rousseau. Car s'il n'est pas impossible qu'un auteur soit un grand homme, ce n'est pas en faisant des livres ni en vers ni en prose qu'il deviendra tel.

NOTES ÉCRITES
SUR DES CARTES À JOUER

Carte n° 1. – Pour bien remplir le titre de ce recueil je l'aurais dû commencer il y a soixante ans : car ma vie entière n'a guère été qu'une longue rêverie divisée en chapitres par mes promenades de chaque jour.

Je le commence aujourd'hui quoique tard parce qu'il ne me reste plus rien de mieux à faire en ce monde.

Je sens déjà mon imagination se glacer, toutes mes facultés s'affaiblir. Je m'attends à voir mes rêveries devenir plus froides de jour en jour jusqu'à ce que l'ennui de les écrire m'en ôte le courage; ainsi mon livre, si je le continue, doit naturellement finir quand j'approcherai de la fin de ma vie.

Carte n° 2. – Il est vrai que l'homme le plus impassible est assujetti par son corps et ses sens aux impressions du plaisir et de la douleur et à leurs effets. Mais ces impressions purement physiques ne sont par elles-mêmes que des sensations. Elles peuvent seulement produire des passions, même quelquefois des vertus, soit lorsque l'impression profonde et durable se prolonge dans l'âme et survit à la sensation, soit quand la volonté mue par d'autres motifs résiste au plaisir ou consent à la douleur; encore faut-il que cette volonté demeure toujours régnante dans l'acte [*un mot illisible*] car si la sensation plus puissante arrache enfin le consentement, toute la moralité de la résistance s'évanouit et l'acte redevient et par lui-même et par ses effets absolument le même que s'il eût été pleinement consenti. Cette rigueur paraît dure, mais aussi n'est-ce donc pas par elle que la vertu porte un nom si sublime? Si la victoire ne coûtait rien, quelle couronne mériterait-elle?

Carte n° 3. – Le bonheur est un état trop constant et l'homme un être trop muable pour que l'un convienne à l'autre. Solon citait à Crésus l'exemple de trois hommes heureux moins à cause du bonheur de leur vie que de la douceur de leur mort, et ne lui accordait point d'être un homme heureux tandis qu'il vivait encore. L'expérience prouva qu'il avait raison. J'ajoute que s'il est quelque homme vraiment heureux sur la terre on ne le citera pas en exemple, car personne que lui n'en sait rien.

Mouvement continu que j'aperçois m'avertit que j'existe, car il est certain que la seule affection que j'éprouve alors est la faible sensation d'un bruit léger égal et monotone. De quoi donc est-ce que je jouis : de moi ou...

Carte n° 4. – Il est vrai que je ne fais rien sur la terre; mais quand je n'aurai plus de corps je n'y ferai rien non plus, et néanmoins je serai un plus excellent être, plus plein de sentiment et de vie que le plus agissant des mortels.

Carte n° 5. – Un moderne les apetisse à sa mesure et moi je m'agrandis à la leur.

Carte n° 6. – Et quelle erreur, par exemple, ne vaut mieux que l'art de discerner les faux amis quand cet art n'est acquis qu'à force de nous montrer tels tous ceux qu'on avait crus véritables?

Carte n° 7. – Ces Messieurs font comme une troupe de flibustiers qui, tenaillant à leur aise un pauvre Espagnol, le consolaient bénignement en lui prouvant par des arguments bien stoïques que la douleur n'était point un mal.

Carte n° 8. – Mais je ne voulus ni lui donner mon adresse ni prendre la sienne, sûr qu'aussitôt que j'aurais le dos tourné elle allait être interrogée, et que par des transformations familières à ces Messieurs ils sauraient tirer de mes intentions connues un mal beaucoup plus grand que le bien que j'aurais désiré faire.

Carte n° 9. – Et quand mon innocence enfin reconnue aurait convaincu mes persécuteurs, quand la vérité luirait à tous les yeux plus brillante que le soleil, le public, loin d'apaiser sa furie, n'en deviendrait que plus acharné; il me haïrait plus alors pour sa propre injustice qu'il ne me hait aujourd'hui pour les vices qu'il aime à m'attribuer. Jamais il ne me pardonnerait les indignités dont il me charge. Elles sont désormais pour lui mon plus irrémissible forfait.

Carte n° 10. – Je dois toujours faire ce que je dois parce que je le dois, mais non par aucun espoir de succès, car je sais bien que ce succès est désormais impossible.

Carte n° 11. – Je me représente l'étonnement de cette génération si superbe, si orgueilleuse, si fière de son prétendu savoir, et qui compte avec une si cruelle suffisance sur l'infaillibilité de ses lumières à mon égard.

Carte n° 12. – Il n'y a plus ni affinité ni fraternité entre eux et moi, ils m'ont renié pour leur frère et moi je me fais gloire de les prendre au mot. Que si néanmoins je pouvais remplir encore envers eux quelque devoir d'humanité je le ferais sans doute, non comme avec mes semblables mais comme avec des êtres souffrants et sensibles qui ont besoin de soulagement. Je soulagerais de même, de meilleur cœur encore, un chien qui souffre. Car n'étant ni traître ni fourbe et ne caressant jamais par fausseté, un chien m'est beaucoup plus proche qu'un homme de cette génération.

Carte n° 13. – Le souverain lui-même n'a droit de faire grâce qu'après que le coupable a été jugé et condamné dans toutes les formes. Autrement ce serait lui imprimer la tache du crime sans l'en avoir convaincu, ce qui serait la plus criante des iniquités.

S'ils veulent me nourrir de pain, c'est en m'abreuvant d'ignominie. La charité dont ils veulent user à mon égard n'est pas bénéficence, elle est opprobre et outrage; elle est un moyen de m'avilir et rien de plus. Ils me voudraient mort sans doute; mais ils m'aiment encore mieux vivant et diffamé.

Carte n° 14. – Et je recevrai leur aumône avec la même reconnaissance qu'un passant peut avoir pour un voleur qui, après lui avoir pris sa bourse, lui en rend une petite partie pour achever son chemin. Encore y a-t-il cette différence que l'intention du voleur n'est pas d'avilir le passant mais uniquement de le soulager.

Il n'y a que moi seul au monde qui se lève chaque jour avec la certitude parfaite de n'éprouver dans la journée aucune nouvelle peine et de ne pas se coucher plus malheureux.

Carte n° 15. – L'attente de l'autre vie adoucit tous les maux de celle-ci et rend les terreurs de la mort presque nulles; mais dans les choses de ce monde l'espérance est toujours mêlée d'inquiétude et il n'y a de vrai repos que dans la résignation.

Carte n° 16. – Il arrivera comme disait le cardinal Mazarin d'un état qui n'est ni moins multiplié ni plus nécessaire qu'il sera ridicule de ne l'avoir pas et plus ridicule encore de l'avoir.

Qui consultent l'intérêt avant la justice et préfèrent celui qui parle à leur avantage à celui qui a le mieux parlé.

Carte n° 17. – Rêverie. D'où j'ai conclu que cet état m'était agréable plutôt comme une suspension des peines de la vie que comme une jouissance positive.

Mais ne pouvant avec mon corps et mes sens me mettre à la place des purs esprits, je n'ai nul moyen de bien juger de leur véritable manière d'être.

Veux-je me venger d'eux aussi cruellement qu'il est possible? Je n'ai pour cela qu'à vivre heureux et content; c'est un sûr moyen de les rendre misérables.

En se donnant le besoin de me rendre malheureux, ils font dépendre de moi leur destinée.

Carte n° 18. – Je penserais assez que l'existence des êtres intelligents et libres est une suite nécessaire de celle de Dieu, et je conçois une jouissance dans la Divinité même hors de sa plénitude ou plutôt qui la complémente : c'est de régner sur des âmes justes.

Carte n° 19. – Ils ont creusé entre eux et moi un abîme immense que rien ne peut plus ni combler ni franchir, et je suis aussi séparé d'eux pour le reste de ma vie que les morts le sont des vivants.

Cela me fait croire que de tous ceux qui parlent de la paix d'une bonne conscience il y en a bien peu qui en parlent avec connaissance, et qui en aient senti les effets.

S'il y a désormais quelque chance qui puisse changer l'état des choses, ce que je ne crois pas, il est très sûr au moins que cette chance ne peut être qu'en ma faveur; car en pis plus rien n'est possible.

Carte n° 20. – Quand j'écrivais ceci je ne pensais guère qu'on voulût ou pût jamais contester la fidélité de mon récit. Mais le silencieux mystère avec lequel ceux à qui je le fais aujourd'hui m'écoutent me fait assez comprendre que ce fait n'a pas échappé au travail de ces Messieurs, et j'aurais bien pu prévoir que Francueil, devenu par leurs soins un des suppôts de la ligue, se garderait désormais de rendre ici hommage à la vérité. Cependant elle a été si longtemps connue de tout le monde et déclarée par lui-même qu'il me paraît impossible qu'il n'en reste pas de suffisantes traces antérieures à son admission dans le complot.

Carte n° 21. – Je ne puis douter que Francueil et ses associés n'aient conté depuis la chose bien différemment : mais quelques gens de bonne foi n'auront pas oublié peut-être comment il la racontait d'abord et dans la suite jusqu'à ce que son admission dans le complot lui fît changer de langage.

Carte n° 22. – Les uns me recherchent avec empressement, pleurent de joie et d'attendrissement à ma vue, me baisent avec transport, avec larmes, les autres s'animent à mon aspect d'une fureur que je vois étinceler dans leurs yeux, les autres crachent ou sur moi ou tout près de moi avec tant d'affectation que l'intention m'en est claire. Des signes si différents sont tous inspirés par le même sentiment, cela ne m'est pas moins clair. Quel est ce sentiment qui se manifeste par tant de signes contraires? C'est celui, je le vois, de tous mes contemporains à mon égard; du reste il m'est inconnu.

Carte n° 23. – La honte accompagne l'innocence, le crime ne la connaît plus.

Je dis naïvement mes sentiments, mes opinions, quelque bizarres, quelque paradoxes qu'elles puissent être; je n'argumente ni ne prouve, parce que je ne cherche à persuader personne et que je n'écris que pour moi.

Carte n° 24. – Toute la puissance humaine est sans force désormais contre moi. Et si j'avais des passions fougueuses je les pourrais satisfaire à mon aise aussi publiquement qu'impunément. Car il est clair que, redoutant plus que la mort toute explication avec moi, ils l'évitent à quelque prix que ce puisse être. D'ailleurs que me feront-ils? M'arrêteront-ils? C'est tout ce que je demande, et je ne puis l'obtenir. Me tourmenteront-ils? Ils changeront l'espèce de mes souffrances, mais ils ne les augmenteront pas. Me feront-ils mourir? Oh! qu'ils s'en garderont bien! Ce serait finir mes peines. Maître et roi sur la terre, tous ceux qui m'entourent sont à ma merci, je peux tout sur eux et ils ne peuvent rien sur moi.

Mais quand ces Messieurs m'ont réduit à l'état où je suis, ils savaient bien que je n'avais pas l'âme ni haineuse ni vindicative : sans quoi ils ne se seraient jamais exposés à ce qui en pouvait arriver.

Carte n° 25. – Qu'on est puissant, qu'on est fort quand on n'espère plus rien des hommes ! Je ris de la folle ineptie des méchants quand je songe que trente ans de travaux, de soucis, de peines ne leur ont servi qu'à me mettre pleinement au-dessus d'eux.

Carte n° 26. – Qu'ils disent fidèlement seulement comment ils ont su toutes ces choses-là et ce qu'ils ont fait pour les apprendre, je promets, s'ils exécutent fidèlement cet article, de ne faire aucune autre réponse à toutes leurs accusations.

Tout me montre et me persuade que la Providence ne se mêle en aucune façon des opinions humaines ni de tout ce qui tient à la réputation, et qu'elle livre entièrement à la fortune et aux hommes tout ce qui reste ici-bas de l'homme après sa mort.

Carte n° 27. – 1° Connais-toi toi-même.
2° Froides et tristes rêveries.
3° Morale sensitive.
Comment dois-je me conduire avec mes contemporains ?
Du mensonge.
Trop peu de santé.
Éternité des peines.
Morale sensitive.

N° 27 bis. – Ne viendra-t-il donc jamais un homme sensé qui remarque la maligne adresse avec laquelle on parle de moi, soit directement soit indirectement, dans presque tous les livres modernes, sur un ton traîtreusement étranger, avec des allusions perfides, avec des rapprochements forcés, avec des citations ironiques, des phrases équivoques et louches et toujours évitant les applications directes, mais toutes conduisant avec art la malignité des lecteurs?

LETTRES

Jean-Jacques Rousseau l'a souvent dit : il ne pouvait donner libre cours à son exaltation de tempérament que dans le rêve « tout le rêve ».

Ce mouvement qui donne légèreté aux Rêveries du promeneur solitaire, *nous le retrouvons dans la correspondance avec plus de vivacité, plus d'humeur. L'édition Dufour (Armand Colin) compte vingt volumes. C'est beaucoup pour un « ours ». Rousseau dit sans cesse que* « ce genre *(la correspondance)* l'ennuie fort, qu'il n'a jamais pu en prendre le ton, que cette occupation le met au supplice, *etc.* »

Nous avons fait un choix dans cette correspondance; l'on verra que la note qui domine dans ces lettres, souvent écrites dans des moments pathétiques, c'est la sensibilité et aussi le respect de soi, qui conduit au respect des autres. Farouche et difficile, Jean-Jacques Rousseau n'a laissé à ses amis aucun droit sur sa liberté, mais il leur reconnaît « toutes sortes de droits sur son cœur ».

A Madame de Francueil

A Paris, le 20 avril 1751.

Oui, madame, j'ai mis mes enfants aux Enfants-Trouvés; j'ai chargé de leur entretien l'établissement fait pour cela. Si ma misère et mes maux m'ôtent le pouvoir de remplir un soin si cher, c'est un malheur dont il faut me plaindre, et non un crime à me reprocher. Je leur dois la subsistance; je la leur ai procurée meilleure ou plus sûre au moins que je n'aurais pu la leur donner moi-même; cet article est avant tout. Ensuite, vient la déclaration de leur mère qu'il ne faut pas déshonorer.

Vous connaissez ma situation; je gagne au jour la journée mon pain avec assez de peine; comment nourrirais-je encore une famille? Et si j'étais contraint de recourir au métier d'auteur, comment les soucis domestiques et les tracas des enfants me laisseraient-ils, dans mon grenier, la tranquillité d'esprit nécessaire pour faire un travail lucratif? Les écrits que dicte la faim ne rapportent guère et cette ressource est bientôt épuisée. Il faudrait donc recourir aux protections, à l'intrigue, au manège; briguer quelque vil emploi; le faire valoir par les moyens ordinaires, autrement il ne me nourrira pas, et me sera bientôt ôté; enfin, me livrer moi-même à toutes les infamies pour lesquelles je suis pénétré d'une si juste horreur. Nourrir, moi, mes enfants et leur mère, du sang des misérables! Non, madame, il vaut mieux qu'ils soient orphelins que d'avoir pour père un fripon.

Accablé d'une maladie douloureuse et mortelle, je ne puis espérer encore une longue vie; quand je pourrais entretenir, de mon vivant, ces infortunés destinés à souffrir un jour, ils payeraient chèrement l'avantage d'avoir été tenus un peu plus délicatement qu'ils ne pourront l'être où ils sont. Leur mère, victime de mon zèle indiscret, chargée de sa propre honte et de ses propres besoins, presque aussi valétudinaire, et encore moins en état de les nourrir que moi, sera forcée de les abandonner à eux-mêmes; et je ne vois pour eux que l'alternative de se faire décrotteurs ou bandits, ce qui revient bientôt au même. Si du moins leur état était légitime, ils pourraient trouver plus aisément des ressources. Ayant à porter à la fois le déshonneur de leur naissance et celui de leur misère, que deviendront-ils?

Que ne me suis-je marié, me direz-vous? Demandez à vos injustes lois, madame. Il ne me convenait pas de contracter un engagement éternel, et jamais on ne me prouvera qu'aucun devoir m'y oblige. Ce qu'il y a de certain, c'est que je n'en ai rien fait, et que je n'en veux rien faire. « Il ne faut pas faire des enfants quand on ne peut pas les nourrir. » Pardonnez-moi, madame, la nature veut qu'on en fasse puisque la terre produit de quoi nourrir tout le monde; mais c'est l'état des riches, c'est votre état qui vole au mien le pain de mes enfants. La nature veut aussi qu'on pourvoie à leur subsistance; voilà ce que j'ai fait; s'il n'existait pas pour eux un asile, je ferais mon devoir et me résoudrais à mourir de faim moi-même plutôt que de ne pas les nourrir.

Ce mot d'Enfants-Trouvés vous en imposerait-il, comme si l'on trouvait ces enfants dans les rues, exposés à périr si le hasard ne les sauve? Soyez sûre que vous n'auriez pas plus d'horreur que moi pour l'indigne père qui pourrait se résoudre à cette barbarie : elle est trop loin de mon cœur pour que je daigne m'en justifier. Il y a des règles établies; informez-vous de ce qu'elles sont, et vous saurez que les enfants ne sortent des mains de la sage-femme que pour passer dans celles d'une nourrice. Je sais que ces enfants ne sont pas élevés délicatement : tant mieux pour eux, ils en deviennent plus robustes; on ne leur donne rien de superflu, mais ils ont le nécessaire; on n'en fait pas des messieurs, mais des paysans ou des ouvriers. Je ne vois rien, dans cette manière de les élever, dont je ne fisse choix pour les miens. Quand j'en serais le maître, je ne les préparerais point, par la mollesse, aux maladies que donnent la fatigue et les intempéries de l'air à ceux qui n'y sont pas faits. Ils ne sauraient ni danser, ni monter à cheval; mais ils auraient de bonnes jambes infatigables. Je n'en ferais ni des auteurs ni des gens de bureau; je ne les exercerais point à manier la plume, mais la charrue, la lime ou le rabot, instruments qui font mener une vie saine, laborieuse, innocente, dont on n'abuse jamais pour mal faire, et qui n'attire point d'ennemis en faisant bien. C'est à cela qu'ils sont destinés; par la rustique éducation qu'on leur donne, ils seront plus heureux que leur père.

Je me suis privé du plaisir de les voir, et je n'ai jamais savouré la douceur des embrassements paternels. Hélas! je vous l'ai déjà dit, je ne vois là que de quoi me plaindre, et je les délivre de la misère à mes dépens. Ainsi voulait Platon que tous les enfants fussent élevés dans sa république; que chacun restât inconnu à son père, et que tous fussent les enfants de l'État. Mais cette éducation est vile et basse! Voilà le grand crime; il vous en impose comme aux autres; et vous ne voyez pas que, suivant toujours les préjugés du monde, vous prenez pour le déshonneur du vice ce qui n'est que celui de la pauvreté.

A Sophie (Madame d'Houdetot)

(Début de juillet 1757.)

Je commence à ressentir l'effet des agitations terribles que vous m'avez si longtemps fait éprouver[1]; elles ont épuisé mon cœur, mes sens, tout mon être, et, dans le supplice des privations les plus cruelles, j'éprouve l'accablement qui suit l'excès des plus doux plaisirs. Je sens

1. Mme d'Houdetot, belle-sœur de Mme d'Épinay, avait rendu une visite à Rousseau, au début du mois de janvier 1757. Son carrosse s'embourba, elle dut rester plus longtemps que prévu. En mai, elle s'installa dans la vallée de Montmorency à Eaubonne. C'est alors qu'elle rendit visite au philosophe, en costume de cheval, bottée, portant culotte et veste d'homme. « Pour cette fois, ce fut de l'amour » (cf. *Confessions,* t. II).

à la fois le besoin de tous les biens, les douleurs de tous les maux; je suis malheureux, malade et triste; votre vue ne m'anime plus, le mal et le chagrin me consument. Hé bien! dans cet état d'anéantissement, mon cœur pense à vous encore, et ne peut penser qu'à vous. Il faut que je vous écrive, mais ma lettre se sentira de mes langueurs.

Vous souvient-il de m'avoir une fois reproché des cruautés bien raffinées? Ah! si j'en juge par l'impression fatale que ces mots n'ont cessé de faire sur moi, c'est bien à vous qu'il faut reprocher ces cruautés. Je me garderai pour mon repos, de rechercher avec trop de soin le sens qu'ils purent avoir dans la circonstance où vous les prononçâtes; mais quelque signification qu'ils eussent, ils peuvent me rendre coupable, ils ne me rendront jamais séducteur.

Que je vous dise une fois ce que vous devez attendre, sur ce point difficile, de votre trop tendre et trop faible ami. Mes promesses n'ont jamais trompé personne; ce n'est pas par vous qu'elles commenceront. Vous avez assez vu de ma force à les tenir, vous m'avez assez vu me débattre dans leurs chaînes pour ne pas craindre que je puisse les briser. Ma passion funeste, vous la connaissez, il n'en fut jamais d'égale; je n'ai rien senti de pareil à la fleur de mes ans; elle peut me faire oublier tout, et mon devoir même, excepté le vôtre. Cent fois elle m'eût déjà rendu méprisable, si je pouvais l'être par elle sans que vous le devinssiez aussi. Non, je le sens, la vertu même, près de vous, ne m'est pas assez sacrée pour me faire respecter, dans mes égarements, le dépôt d'un ami.

Mais vous êtes à lui[1]... Si vous êtes à moi, je perds, en vous possédant, celle que j'honore, ou je vous ôte à celui que vous aimez. Non, Sophie, je puis mourir de mes fureurs, mais je ne vous rendrai point vile. Si vous êtes faible, et que je le voie, je succombe à l'instant même; tant que vous demeurerez à mes yeux ce que vous êtes, je n'en trahirai pas moins mon ami dans mon cœur, mais je lui rendrai son dépôt aussi pur que je l'ai reçu. Le crime est déjà cent fois commis par ma volonté. S'il l'est dans la vôtre, je le consomme, et je suis le plus traître et le plus heureux des hommes; mais je ne puis corrompre celle que j'idolâtre. Qu'elle reste fidèle, et que je meure, ou qu'elle me laisse voir dans ses yeux qu'elle est coupable, je n'aurai plus rien à ménager.

A Sophie (Madame d'Houdetot)

(Vers le 15 octobre 1757.)

Viens, Sophie, que j'afflige ton cœur injuste; que je sois à mon tour sans pitié pour toi. Pourquoi t'épargnerais-je tandis que tu m'ôtes la raison, l'honneur et la

1. Jean-François, marquis de Saint-Lambert (né à Paris en 1716, mort à Nancy en 1803), officier et poète (auteur des *Saisons*). Il avait été l'amant de Mme du Châtelet; la marquise eut un enfant et en mourut. Il entretenait depuis une liaison officielle avec Mme d'Houdetot — liaison qui durera jusqu'à sa mort. En mai 1757, il avait rejoint l'armée à Hanovre où il fait campagne pendant toute l'année, sauf en juillet (date de cette lettre) où il revient à Paris et soupçonne quelque chose.

vie? Pourquoi te laisserais-je couler de paisibles jours, à toi qui me rends les miens insupportables? Ah! combien tu m'aurais été moins cruelle si tu m'avais plongé dans le cœur un poignard au lieu du trait fatal qui me tue! Vois ce que j'étais et ce que je suis devenu : vois à quel point tu m'avais élevé et jusqu'où tu m'as avili. Quand tu daignais m'écouter, j'étais plus qu'un homme; depuis que tu me rebutes[1], je suis le dernier des mortels : j'ai perdu le sens, l'esprit et le courage; d'un mot, tu m'as tout ôté. Comment peux-tu te résoudre à détruire ainsi ton propre ouvrage? Comment oses-tu rendre indigne de ton estime celui qui fut honoré de tes bontés? Ah! Sophie, je t'en conjure, ne te fais point rougir de l'ami que tu as cherché. C'est pour ta propre gloire que je te demande compte de moi. Ne suis-je pas ton bien? N'en as-tu pas pris possession? tu ne peux plus t'en dédire, et puisque je t'appartiens, malgré moi-même et malgré toi, laisse-moi du moins mériter de t'appartenir. Rappelle-toi ces temps de félicité qui, pour mon tourment, ne sortiront jamais de ma mémoire. Cette flamme invisible, dont je reçus une seconde vie plus précieuse que la première, rendait à mon âme, ainsi qu'à mes sens, toute la vigueur de la jeunesse. L'ardeur de mes sentiments m'élevait jusqu'à toi. Combien de fois ton cœur, plein d'un autre amour,

1. Au mois d'août, Saint-Lambert a regagné l'armée. Il est averti aussitôt par Mme d'Épinay qui, avec l'aide de Thérèse, rendue jalouse, surveille l'intrigue. Saint-Lambert écrit alors à sa maîtresse une lettre menaçante; elle décide de quitter Rousseau qu'elle trouve « attendrissant mais très laid, et que l'amour rend plus laid encore ».

fut-il ému des transports du mien! Combien de fois m'as-tu dit dans le bosquet de la cascade : « Vous êtes l'amant le plus tendre dont j'eusse l'idée, non jamais homme n'aima comme vous[1]. » Quel triomphe pour moi que cet aveu dans ta bouche! Assurément, il n'était pas suspect; il était digne des feux dont je brûlais de t'y rendre sensible en dépit des tiens, et de t'arracher une pitié que tu te reprochais si vivement. Eh! pourquoi te la reprocher? En quoi donc étais-tu coupable? En quoi la fidélité était-elle offensée par des bontés qui laissaient ton cœur et tes sens tranquilles? Si j'eusse été plus aimable et plus jeune, l'épreuve eût été plus dangereuse; mais puisque tu l'as soutenue, pourquoi t'en repentir? Pourquoi changer de conduite avec tant de raisons d'être contente de toi? Ah! que ton amant même serait fier de ta constance s'il savait ce qu'elle a surmonté! Si ton cœur et moi sommes seuls témoins de ta force, c'est à moi seul à m'en humilier. Étais-je digne de t'inspirer des désirs? Mais quelquefois ils s'éveillent malgré qu'on en ait, et tu sus toujours triompher des tiens. Où est le crime d'écouter un autre amour, si ce n'est le danger de le partager? Loin d'éteindre tes premiers feux, les miens semblaient les irriter encore. Ah! si jamais tu fus tendre et fidèle, n'est-ce pas dans ces moments délicieux où mes pleurs t'en arrachaient quelquefois; où les épanchements de nos cœurs s'excitaient mutuellement; où, sans se répondre, ils savaient s'entendre; où ton amour

1. D'après le récit des *Confessions* (liv. IX), il n'y aurait eu qu'une nuit sublime dans le bosquet de la cascade.

s'animait aux expressions du mien, et où l'amant qui t'est cher recueillait au fond de ton âme tous les transports exprimés par celui qui t'adore? L'amour a tout perdu par ce changement bizarre que tu couvres de si vains prétextes. Il a perdu ce divin enthousiasme qui t'élevait à mes yeux au-dessus de toi-même; qui te montrait à la fois charmante par tes ferveurs, sublime par ta résistance, et redoublait par tes bontés mon respect et mes adorations. Il a perdu, chez toi, cette confiance aimable qui te faisait verser dans ce cœur qui t'aime tous les sentiments du tien. Nos conversations étaient touchantes; un attendrissement continuel les remplissait de son charme. Mes transports que tu ne pouvais partager, ne laissaient pas de te plaire, et j'aimais à t'entendre exprimer les tiens pour un autre objet qui leur était cher, tant l'épanchement et la sensibilité ont de prix, même sans celui du retour! Non, quand j'aurais été aimé, à peine aurais-je pu vivre dans un état plus doux, et je te défie de jamais dire, à ton amant même, rien de plus touchant que ce que tu me disais de lui mille fois le jour. Qu'est devenu ce temps, cet heureux temps? La sécheresse et la gêne, la tristesse ou le silence, remplissent désormais nos entretiens. Deux ennemis, deux indifférents, vivraient entre eux avec moins de réserve que ne font deux cœurs faits pour s'aimer. Le mien, resserré par la crainte, n'ose plus donner l'essor aux feux dont il est dévoré. Mon âme intimidée se concentre et s'affaisse sur elle-même; tous les sentiments sont comprimés par la douleur. Cette lettre, que j'arrose de froides larmes, n'a plus rien de ce feu sacré qui coulait de ma plume en de plus doux instants. Si nous sommes un moment sans témoins, à peine ma bouche ose-t-elle exprimer un sentiment qui m'oppresse, qu'un air triste et mécontent le resserre au fond de mon cœur. Le vôtre, à son tour, n'a plus rien à me dire. Hélas! n'est-ce pas dire assez combien vous vous déplaisez avec moi, que ne me plus parler de ce que vous aimez? Ah! parlez-moi de lui sans cesse afin que ma présence ne soit pas pour vous sans plaisir.

Il vous est plus aisé de changer, ô Sophie, que de cacher ce changement à mes yeux. N'alléguez plus de fausses excuses qui ne peuvent m'en imposer. Les événements ont pu vous forcer à une circonspection dont je ne me suis jamais plaint; mais tant que le cœur ne change pas, les circonstances ont beau changer, son langage est toujours le même; et si la prudence vous force à me voir plus rarement, qui vous force de perdre avec moi le langage du sentiment pour prendre celui de l'indifférence? Ah! Sophie, Sophie! Ose me dire que ton amant t'est plus cher aujourd'hui que quand tu daignais m'écouter et me plaindre, et que tu m'attendrissais à mon tour, aux expressions de ta passion pour lui! Tu l'adorais et te laissais adorer; tu soupirais pour un autre, mais ma bouche et mon cœur recueillaient tes soupirs. Tu ne te faisais point un vain scrupule de lui cacher des entretiens qui tournaient au profit de ton amour. Le charme de cet amour croissait sous celui de l'amitié; ta fidélité s'honorait du sacrifice des plaisirs non partagés. Tes refus, tes scrupules, étaient moins pour lui que pour moi. Quand les transports de la plus violente passion qui fût jamais t'excitaient à la pitié, tes yeux inquiets cherchaient dans les miens si cette pitié ne t'ôterait point mon estime; et la seule condition que tu mettais aux preuves de ton amitié était que je ne cesserais point d'être ton ami.

Cesser d'être ton ami! chère et charmante Sophie, vivre et ne plus t'aimer est-il, pour mon âme, un état possible? Eh! comment mon cœur se fût-il détaché de toi, quand aux chaînes de l'amour tu joignais les doux nœuds de la reconnaissance? J'en appelle à ta sincérité. Toi qui vis, qui causas ce délire, ces pleurs, ces ravissements, ces extases, ces transports qui n'étaient pas faits pour un mortel, dis, ai-je goûté tes faveurs de manière à mériter de les perdre? Ah! non; tu t'es barbarement prévalue, pour me les ôter, des tendres craintes qu'elles m'ont inspirées. J'en suis devenu plus épris mille fois, il est vrai; mais plus respectueux, plus soumis, plus attentif à ne jamais t'offenser. Comment ton cœur a-t-il pu se résoudre, en me voyant tremblant devant toi, à s'armer de ma passion contre moi-même, et à me rendre misérable pour avoir mérité d'être heureux?

Le premier prix de tes bontés fut de m'apprendre à vaincre mon amour par lui-même, de sacrifier mes plus ardents désirs à celle qui les faisait naître, et mon bonheur à ton repos. Je ne rappellerai point ce qui s'est passé ni dans ton parc, ni dans ta chambre; mais pour sentir jusqu'où l'impression de tes charmes inspire à mes sens l'ardeur de te posséder, ressouviens-toi du mont Olympe, ressouviens-toi de ces mots écrits au crayon sur un chêne.

J'aurais pu les tracer du plus pur de mon sang, et je ne saurais te voir ni penser à toi qu'il ne s'épuise et ne renaisse sans cesse. Depuis ces moments délicieux où tu m'as fait éprouver tout ce qu'un amour plein, et non partagé, peut donner de plaisir au monde, tu m'es devenue si chère que je n'ai plus osé désirer d'être heureux à tes dépens, et qu'un seul refus de ta part eût fait taire un délire insensé. Je m'en serais livré plus innocemment aux douceurs de l'état où tu m'avais mis; l'épreuve de ta force m'eût rendu plus circonspect à t'exposer à des combats que j'avais trop peu su te rendre pénibles. J'avais tant de titres pour mériter que tes faveurs et ta pitié même ne me fussent point ôtées; hélas! que faut-il que je me dise pour me consoler de les avoir perdues, si ce n'est que j'aimais trop pour les savoir conserver? J'ai tout fait pour remplir les dures conditions que tu m'avais imposées; je leur ai conformé toutes mes actions, et, si je n'ai pu contenir de même mes discours, mes regards, mes ardents désirs, de quoi peux-tu m'accuser, si ce n'est de m'être engagé, pour te plaire, à plus que la force humaine ne peut tenir? Sophie! j'aimai trente ans la vertu, ah! crois-tu que j'aie déjà le cœur endurci au crime? Non, mes remords égalent mes transports; c'est tout dire; mais pourquoi ce cœur se livrait-il aux légères faveurs que tu daignais m'accorder, tandis que son murmure effrayant me détournait si fortement d'un attentat plus téméraire? Tu le sais, toi qui vis mes égarements, si, même alors, ta personne me fut sacrée! Jamais mes ardents désirs, jamais mes tendres supplications n'osèrent un instant solliciter le bonheur suprême que je ne me sentisse arrêté par les cris intérieurs d'une âme épouvantée. Cette voix terrible qui ne trompe point me faisait frémir à la seule idée de souiller de parjure et d'infidélités celle que j'aime, celle que je voudrais voir aussi parfaite que l'image que j'en porte au fond de mon cœur, celle qui doit m'être inviolable à tant de titres. J'aurais donné l'univers pour un moment de félicité; mais t'avilir, Sophie! Ah! non, il n'est pas possible, et, quand j'en serais le maître, je t'aime trop pour te posséder jamais.

Rends donc à celui qui n'est pas moins jaloux que toi de ta propre gloire, des bontés qui ne sauraient la blesser. Je ne prétends m'excuser ni envers toi, ni envers moi-même; je me reproche tout ce que tu me fais désirer. S'il n'eût fallu triompher que de moi, peut-être l'honneur de vaincre m'en eût-il donné le pouvoir; mais devoir au dégoût de ce qu'on aime des privations qu'on eût dû s'imposer, ah! c'est ce qu'un cœur sensible ne peut supporter sans désespoir. Tout le prix de la victoire est perdu dès qu'elle n'est pas volontaire. Si ton cœur ne m'ôtait rien, qu'il serait digne du mien de tout refuser! Si jamais je puis me guérir, ce sera quand je n'aurai que ma passion seule à combattre. Je suis coupable, je le sens trop, mais je m'en console en songeant que tu ne l'es pas. Une complaisance insipide à ton cœur, qu'est-elle pour toi, qu'un acte de pitié dangereux à la première épreuve, indifférent pour qui l'a pu supporter une fois? O Sophie! après des moments si doux, l'idée d'une éternelle privation est trop affreuse à celui qui gémit de ne pouvoir s'identifier avec toi. Quoi ! tes yeux attendris ne se baisseraient plus avec cette douce pudeur qui m'enivre de volupté? Quoi ! mes lèvres brûlantes ne déposeraient plus sur ton cœur mon âme avec mes baisers? Quoi ! je n'éprouverais plus ce frémissement céleste, ce feu rapide et dévorant qui, plus prompt que l'éclair... moment ! moment inexprimable ! quel cœur, quel homme, quel dieu peut t'avoir ressenti et renoncer à toi?

Souvenirs amers et délicieux ! laisserez-vous jamais mes sens et mon cœur en paix? et toutefois les plaisirs que vous me rappelez ne sont point ceux qu'il regrette le plus. Ah ! non, Sophie, il en fut pour moi de plus doux encore et dont ceux-là tirent leur plus grand prix, parce qu'ils en étaient le gage. Il fut, il fut un temps où mon amitié t'était chère et où tu savais me le témoigner. Ne m'eusses-tu rien dit, ne m'eusses-tu fait aucune caresse, un sentiment plus touchant et plus sûr m'avertissait que j'étais bien avec toi. Mon cœur te cherchait et le tien ne me repoussait pas. L'expression du plus tendre amour qui fût jamais n'avait rien de rebutant pour toi. On eût dit à ton empressement à me voir que je te manquais quand tu ne m'avais pas vu ; tes yeux ne fuyaient pas les miens, et leurs regards n'étaient pas ceux de la froideur ; tu cherchais mon bras à la promenade, tu n'étais pas si soigneuse à me dérober l'aspect de tes charmes, et quand ma bouche osait presser la tienne, quelquefois au moins je la sentais résister. Tu ne m'aimais pas, Sophie, mais tu te laissais aimer, et j'étais heureux. Tout est fini ; je ne suis plus rien, et, me sentant étranger, à charge, importun près de toi, je ne suis pas moins misérable de mon bonheur passé que de mes peines présentes. Ah! si je ne t'avais jamais vue attendrie, je me consolerais de ton indifférence et me contenterais de t'adorer en secret; mais me voir déchirer le cœur par la main qui me rendit heureux et être oublié de celle qui m'appelait son doux ami! ô toi qui peux tout sur mon être, apprends-moi à supporter cet état affreux, ou le change, ou me fais mourir! Je voyais les douleurs que m'apprêtait la fortune et je m'en consolais en y voyant tes plaisirs; j'ai appris à braver les outrages du sort, mais les tiens! qui me les fera supporter? La vallée que tu fuis pour me fuir, le prochain retour de ton amant, les intrigues de ton indigne sœur[1], l'hiver qui nous sépare, mes maux qui s'accroissent, ma jeunesse qui fuit de plus en plus, tandis que la tienne est dans sa fleur, tout se réunit pour m'ôter tout espoir; mais rien n'est au-dessus de mon courage que tes mépris. Avec la consolation du cœur, je dédaignerais les plaisirs des sens, je m'en passerais au moins; si tu me plaignais, je ne serais plus à plaindre. Aide-moi, de grâce, à m'abuser moi-même; mon cœur affligé ne demande pas mieux; je cherche moi-même sans cesse à te supposer pour moi le tendre intérêt que tu n'as plus. Je force tout ce que tu me dis pour l'interpréter en ma faveur; je m'applaudis de mes propres douleurs quand elles semblent t'avoir touchée; dans l'impossibilité de tirer de toi de vrais signes d'attachement, un

1. Rousseau a toujours accusé Mme d'Épinay de l'avoir trahi.

rien suffit pour m'en créer de chimériques. A notre dernière entrevue, où tu déployais de nouveaux charmes, pour m'enflammer de nouveaux feux, deux fois tu me regardas en dansant. Tous tes mouvements s'imprimaient au fond de mon âme; mes avides regards traçaient tous tes pas; pas un de tes gestes n'échappait à mon cœur, et, dans l'éclat de ton triomphe, ce faible cœur avait la simplicité de croire que tu daignais t'occuper de moi. Cruelle, rends-moi l'amitié qui m'est si chère; tu me l'as offerte; je l'ai reçue; tu n'as plus droit de me l'ôter. Ah! si jamais je te voyais un vrai signe de pitié; que ma douleur ne te fût point importune; qu'un regard attendri se tournât sur moi; que ton bras se jetât autour de mon cou; qu'il me pressât contre ton sein; que ta douce voix me dît avec un soupir : Infortuné! que je te plains! oui, tu m'aurais consolé de tout; mon âme reprendrait sa vigueur et je redeviendrais digne encore d'avoir été bien voulu de toi...

A Monsieur de Saint-Lambert[1]

A l'Ermitage, le 28 octobre 1757.

Que de joie et de tristesse me viennent de vous, mon cher ami! A peine l'amitié est-elle commencée entre nous, que vous m'en faites sentir en même temps tous

1. Au cours d'une journée, dite des cinq billets, que Henri Guillemin situe le 31 août, où Rousseau veut rompre avec tout le monde, en fait, il finit pas se réconcilier avec Mme d'Épinay. Quelques jours

les tourments et tous les plaisirs. Je ne vous parlerai point de l'impression que m'a faite la nouvelle de votre accident[1]. Mme d'Épinay en a été témoin. Je ne vous peindrai point non plus les agitations de notre amie; votre cœur est fait pour les imaginer. Et moi, la voyant hors d'elle-même, j'avais à la fois le sentiment de votre état et le spectacle du sien; jugez de celui de votre ami. On voit bien à vos lettres que vous êtes de nous tous le moins sensible à vos maux. Mais, pour exciter le zèle et les soins que vous devez à votre guérison, songez, je vous en conjure, que vous avez en dépôt l'espoir de tout ce qui vous est cher. Au reste, quel que soit l'effet des eaux, dont j'attends tout, le bonheur ne réside point dans le sentiment d'une jambe et d'un bras. Tant que votre cœur sera sensible, soyez sûr, mon cher et digne ami, qu'il pourra faire des heureux et l'être.

Notre amie vint mardi faire ses adieux à la vallée; j'y passai une demi-journée triste et délicieuse. Nos

après, il demande conseil à Diderot, venu à l'Ermitage; Diderot lui reproche « la noirceur d'avoir voulu brouiller M. de Saint-Lambert et Mme d'Houdetot ». Rousseau promet alors, pour se racheter, de tout avouer à Saint-Lambert, à qui il écrit une première fois le 4 septembre en évitant d'ailleurs d'avouer l'erreur à laquelle l'humanité est soumise et dont nul grand homme n'est exempt. Rousseau se présente à Saint-Lambert en conseiller et en ami, veillant sur ses amours, comme il voudrait être le confident de Mme d'Houdetot, à la façon de Saint-Preux et du ménage Wolmar dans *la Nouvelle Héloïse*. La lettre que nous citons prolonge ces projets : tous trois, « ils pourraient lier entre eux une société charmante ».

1. Une attaque de paralysie dont Saint-Lambert venait d'être victime aux armées.

cœurs vous plaçaient entre eux, et nos yeux n'étaient point secs, en parlant de vous. Je lui dis que son attachement pour vous était désormais une vertu; elle en fut si touchée, qu'elle voulut que je vous l'écrivisse, et je lui obéis volontiers. Oui, mes enfants, soyez à jamais unis; il n'est plus d'âme comme les vôtres, et vous méritez de vous aimer jusqu'au tombeau. Il m'est doux d'être en tiers dans une amitié si tendre. Je vous remercie du cœur que vous m'avez rendu, et dont le mien n'est pas indigne. L'estime que vous lui devez, et celle dont elle m'honore, vous feront sentir toute votre vie l'injustice de vos soupçons.

Vous savez mon raccommodement avec Grimm[1], j'ai cette obligation de plus à Mme d'Épinay, et l'honneur d'avoir fait toutes les avances. J'en fis autant avec Diderot, et j'eus cette obligation à notre amie. Qu'on ait tort ou qu'on ait raison, je trouve qu'il est toujours doux de revenir à son ami; et le plaisir d'aimer me semble plus cher à un cœur sensible que les petites vanités de l'amour-propre.

Vous savez aussi le prochain départ de Mme d'Épinay pour Genève[2]. Elle m'a proposé de l'accompagner, sans me montrer là-dessus beaucoup d'empressement. Moi, la voyant escortée de son mari, du gouverneur de son fils, de cinq ou six domestiques, aller chez son médecin

1. Grimm était venu en automne s'installer au château de la Chevrette avec Mme d'Épinay.

2. Malade, Mme d'Épinay a décidé d'aller consulter Tronchin à Genève. Jean-Jacques a été mis en demeure de l'accompagner par tout le groupe qui veut le séparer de Mme d'Houdetot.

et son ami, et par conséquent mon cortège lui étant fort inutile, sentant d'ailleurs qu'il me serait impossible de supporter, avec mon mal, et dans la saison où nous entrons, une chaise de poste jusqu'à Genève, et, joignant aux obstacles tirés de ma situation présente la gêne insurmontable que j'éprouve toujours à vivre chez autrui, je n'ai pas accepté le voyage, et elle s'est contentée de mes raisons. Là-dessus Diderot m'écrit un billet extravagant dans lequel, me disant surchargé du poids des obligations que j'ai à Mme d'Épinay, il me représente ce voyage comme indispensable, en quelque état que soit ma santé, jusqu'à vouloir que je suive plutôt à pied la chaise de poste. Mais ce qui m'a surtout percé le cœur, c'est de voir que votre amie est du même avis[1] et m'ose donner les conseils de la servitude. On dirait qu'il y a une ligue entre tous mes amis, pour abuser de mon état précaire et me livrer à la merci de Mme d'Épinay. Laissant ici les gens qu'il faut entretenir, partant sans argent, sans habits, sans linge, je serai forcé de tout recevoir d'elle, et peut-être de lui tout demander. L'amitié peut confondre les biens ainsi que les cœurs; mais dès qu'il sera question de devoirs et d'obligations, étant encore à ses gages, je ne serai plus chez elle comme son ami, mais comme son valet; et, quoi qu'il arrive, je ne veux pas l'être, ni m'aller étaler, dans mon pays, à la suite d'une fermière générale. Cependant, j'ai écrit à Grimm une longue lettre, dans laquelle je lui dis mes

1. Mme d'Houdetot « me témoigna combien elle aurait désiré que j'eusse fait le voyage de Genève » (*Confessions*, liv. IX).

raisons, et le laisse maître de décider si je dois partir ou non, résolu de suivre à l'instant son avis; mais j'espère qu'il ne m'avilira pas. Jusqu'ici je n'ai point de réponse positive; et j'apprends que Mme d'Épinay part demain. Je me sens, en écrivant cet article, dans une agitation qui me le ferait indiscrètement prolonger; il faut finir. Mon ami, que n'êtes-vous ici! Je verserais mes peines dans votre âme; elle entendrait la mienne, et ne donnerait point à ma juste fierté le vil nom d'ingratitude. Quoi qu'il en soit, on ne m'enchaînera jamais par certains bienfaits; je m'en suis toujours défendu; je méprise l'argent; je ne sais point mettre à prix ma liberté; et, si le sort me réduit à choisir entre les deux vices que j'abhorre le plus, mon parti est pris, et j'aime encore mieux être un ingrat qu'un lâche.

Je ne dois point finir cette lettre sans vous donner un avis qui nous importe à tous. La santé de notre amie se délabre sensiblement. Elle est maigrie; son estomac va mal; elle ne digère point, elle n'a plus d'appétit; et ce qu'il y a de pis est que le peu qu'elle mange ne sont que des choses malsaines. Elle était déjà changée avant votre accident; jugez de ce qu'elle est, de ce qu'elle va devenir. Elle confie à des quidams la direction de sa santé; on lui a conseillé les eaux de Passy; mais ce qui importe beaucoup plus à lui conseiller est le choix d'un médecin qui sache l'examiner et la conduire, et d'un régime qui n'augmente pas le désordre de son estomac. J'ai dit là-dessus tout ce que j'ai pu, mais inutilement. C'est à vous d'obtenir ce qu'elle refuse à mon amitié.

C'est surtout par le soin que vous prendrez de vous que vous l'engagerez à en prendre d'elle. Adieu, mon ami.

A Monsieur Diderot

Le 2 mars 1758.

Il faut, mon cher Diderot, que je vous écrive encore une fois dans ma vie; vous ne m'en avez que trop dispensé; mais le plus grand crime de cet homme que vous noircissez d'une si étrange manière[1] est de ne pouvoir se détacher de vous.

Mon dessein n'est point d'entrer en explication, dans ce moment-ci, sur les horreurs que vous m'imputez. Je vois que cette explication serait à présent inutile; car, quoique né bon avec une âme franche, vous avez pourtant un malheureux penchant à mésinterpréter les discours et les actions de vos amis. Prévenu contre moi comme vous l'êtes, vous tourneriez en mal tout ce que je pourrais dire pour me justifier, et mes plus ingénues explications ne feraient que fournir à votre esprit subtil

1. Rousseau a entendu dire que ses amis de Paris se moquaient de son extravagant comportement. Diderot ne lui fait plus signe. Il écrit pour essayer de renouer une amitié qui se défait, se disculper d'être un « méchant » et se justifier des « crimes » qu'on lui impute : 1. Sa retraite à la campagne; 2. Son amour pour Mme d'Houdetot; 3. Son refus d'accompagner Mme d'Épinay à Genève; 4. Son départ de l'Ermitage.

de nouvelles interprétations à ma charge. Non, Diderot, je sens que ce n'est pas par là qu'il faut commencer. Je veux d'abord proposer à votre bon sens des préjugés plus simples, plus vrais, mieux fondés que les vôtres, et dans lesquels je ne pense pas, au moins, que vous puissiez trouver de nouveaux crimes.

Je suis un méchant homme, n'est-ce pas? vous en avez les témoignages les plus sûrs; cela vous est bien attesté. Quand vous avez commencé à l'apprendre, il y avait seize ans que j'étais pour vous un homme de bien, et quarante ans que je l'étais pour tout le monde; en pouvez-vous dire autant de ceux qui vous ont communiqué cette belle découverte? Si l'on peut porter à faux si longtemps le masque d'un honnête homme, quelle preuve avez-vous que le masque ne couvre pas leur visage aussi bien que le mien? Est-ce un moyen bien propre à donner du poids à leur autorité que de charger en secret un homme absent, hors d'état de se défendre? Mais ce n'est pas de cela qu'il s'agit.

Je suis un méchant; mais pourquoi le suis-je? Prenez bien garde, mon cher Diderot, ceci mérite votre attention : on n'est pas malfaisant pour rien, s'il y avait quelque monstre ainsi fait, il n'attendrait pas quarante ans à satisfaire ses inclinations dépravées. Considérez donc ma vie, mes passions, mes goûts, mes penchants; cherchez, si je suis méchant, quel intérêt m'a pu porter à l'être. Moi qui, pour mon malheur, portai toujours un cœur trop sensible, que gagnerais-je à rompre avec ceux qui m'étaient chers? A quelle place ai-je aspiré? à quelles pensions, à quels honneurs m'a-t-on vu prétendre? Quels concurrents ai-je à écarter? Que m'en peut-il revenir de mal faire? Moi qui ne cherche que la solitude et la paix, moi dont le souverain bien consiste dans la paresse et l'oisiveté, moi dont l'indolence et les maux me laissent à peine le temps de pourvoir à ma subsistance, à quel propos, à quoi bon m'irais-je plonger dans les agitations du crime, et m'embarquer dans l'éternel manège des scélérats? Quoi que vous en disiez, on ne fuit point les hommes quand on cherche à leur nuire; le méchant peut méditer ses coups dans la solitude, mais c'est dans la solitude qu'il les porte. Un fourbe a de l'adresse et du sang-froid; un perfide se possède et ne s'emporte point; reconnaissez-vous en moi quelque chose de tout cela? Je suis emporté dans la colère, et souvent étourdi de sang-froid. Ces défauts font-ils le méchant? Non, sans doute; mais le méchant en profite pour perdre celui qui les a.

Je voudrais que vous pussiez réfléchir un peu sur vous-même. Vous vous fiez à votre bonté naturelle; mais savez-vous à quel point l'exemple et l'erreur peuvent la corrompre? N'avez-vous jamais craint d'être entouré d'adulateurs adroits qui n'évitent de louer grossièrement en face que pour s'emparer plus adroitement de vous sous l'appât d'une feinte sincérité? Quel sort pour le meilleur des hommes d'être égaré par sa candeur même, et d'être innocemment, dans la main des méchants, l'instrument de leur perfidie! Je sais que l'amour-propre se révolte à cette idée, mais elle mérite l'examen de la raison.

Voilà des considérations que je vous prie de bien

peser : pensez-y longtemps avant que de me répondre. Si elles ne vous touchent pas, nous n'avons plus rien à nous dire; mais si elles font quelque impression sur vous, alors nous entrerons en éclaircissement; vous retrouverez un ami digne de vous, et qui peut-être ne vous aura pas été inutile. J'ai, pour vous exhorter à cet examen, un motif de grand poids, et ce motif le voici.

Vous pouvez avoir été séduit et trompé. Cependant votre ami gémit dans sa solitude, oublié de tout ce qui lui était cher. Il peut y tomber dans le désespoir, y mourir enfin, maudissant l'ingrat dont l'adversité lui fit tant verser de larmes, et qui l'accable indignement dans la sienne. Il se peut que les preuves de son innocence vous parviennent enfin, que vous soyez forcé d'honorer sa mémoire, et que l'image de votre ami mourant ne vous laisse pas des nuits tranquilles. Diderot, pensez-y. Je ne vous en parlerai plus[1].

A un jeune homme

Printemps 1758.

Vous ignorez, monsieur, que vous écrivez à un pauvre homme accablé de maux, et de plus, fort occupé, qui n'est guère en état de vous répondre, et qui le serait encore moins d'établir avec vous la société que vous lui

1. Diderot ne semble pas avoir répondu à cette lettre, la dernière que Rousseau lui ait écrite.

proposez. Vous m'honorez en pensant que je pouvais vous y être utile, et vous êtes louable du motif qui vous l'a fait désirer; mais sur le motif même, je ne vois rien de moins nécessaire que de venir vous établir à Montmorency. Vous n'avez pas besoin d'aller chercher si loin les principes de la morale. Rentrez dans votre cœur, et vous les y trouverez; et je ne pourrai rien vous dire à ce sujet que ne vous dise encore mieux votre conscience, quand vous voudrez la consulter. La vertu, monsieur, n'est pas une science qui s'apprend avec tant d'appareil; pour être vertueux, il suffit de vouloir l'être; et si vous avez bien cette volonté, tout est fait; votre bonheur est décidé. S'il m'appartenait de vous donner des conseils, le premier que je voudrais vous donner, serait de ne point vous livrer à ce goût que vous dites avoir pour la vie contemplative, et qui n'est qu'une paresse de l'âme, condamnable à tout âge, et surtout au vôtre. L'homme n'est point fait pour méditer, mais pour agir; la vie laborieuse que Dieu nous impose n'a rien que de doux au cœur de l'homme de bien, qui s'y livre en vue de remplir son devoir, et la vigueur de la jeunesse ne vous a pas été donnée pour la perdre à d'oisives contemplations. Travaillez donc, monsieur, dans l'état où vous ont placé vos parents et la providence. Voilà le premier précepte de la vertu que vous voulez suivre; et si le séjour de Paris, joint à l'emploi que vous remplissez, vous paraît d'un trop difficile alliage avec elle, faites mieux, monsieur, retournez dans votre province, allez vivre dans le sein de votre famille, servez, soignez vos vertueux parents, c'est là que vous remplirez véritablement les soins que la vertu vous impose; une vie dure est plus facile à supporter en province que la fortune à poursuivre à Paris, surtout quand on sait, comme vous ne l'ignorez pas, que les plus indignes manèges y font plus de fripons gueux que de parvenus. Vous ne devez point vous estimer malheureux de vivre comme fait monsieur votre père, et il n'y a point de sort que le travail, la vigilance, l'innocence et le contentement de soi ne rendent supportable, quand on s'y soumet en vue de remplir son devoir. Voilà, monsieur, des conseils qui valent tous ceux que vous pourriez venir prendre à Montmorency. Peut-être ne seront-ils pas de votre goût, et je crains que vous ne preniez pas le parti de les suivre; mais je suis sûr que vous vous en repentirez un jour. Je vous souhaite un sort qui ne vous force jamais à vous en souvenir. Je vous prie, monsieur, d'agréer mes salutations très humbles.

A Monsieur le Maréchal de Luxembourg

A Montmorency, le 30 avril 1759.

Monsieur,

Je n'ai oublié ni les grâces dont vous m'avez comblé[1], ni l'engagement auquel le respect et la reconnaissance

1. Le maréchal duc de Luxembourg (1702-1764) habitait une partie de l'année le château de Montmorency. Il invita Rousseau à souper toutes les fois que cela lui faisait plaisir. « Je ne démarrai point » (*Confessions*, liv. X). « Enfin un après-midi, que je songeais à rien moins, je vis arriver M. le maréchal de Luxembourg suivi de cinq à six personnes ».

ne m'ont pas permis de me refuser. Je n'ai perdu ni la volonté de tenir ma parole, ni le sentiment avec lequel il me convient d'accepter l'honneur que vous m'avez fait. Mais, monsieur le Maréchal, cet engagement ne pouvait être que conditionnel; et, dans l'extrême distance qu'il y a de vous à moi, ce serait de ma part une témérité inexcusable d'oser habiter votre maison[1], sans savoir si j'y serais vu de vous et de Mme la Maréchale avec la même bienveillance qui vous a porté à me l'offrir.

Vos bontés m'ont mis dans une perplexité qu'augmente le désir de n'en pas être indigne. Je conçois comment on rejette avec un respect froid et repoussant les avances des grands qu'on n'estime pas : mais comment, sans m'oublier, en userais-je avec vous, monsieur, que mon cœur honore, avec vous que je rechercherais si vous étiez mon égal? N'ayant jamais voulu vivre qu'avec mes amis, je n'ai qu'un langage, celui de l'amitié, de la familiarité. Je n'ignore pas combien de mon état au vôtre il faut modifier ce langage; je sais que mon respect pour votre personne ne me dispense pas de celui que je dois à votre rang; mais je sais mieux encore que la pauvreté qui s'avilit devient bientôt méprisable; je sais qu'elle a aussi sa dignité, que l'amour même de la vertu l'oblige de conserver. Je suis ainsi toujours dans le doute de manquer à vous ou à moi, d'être fami-

1. Rousseau fut invité à aller s'installer dans « le petit château » situé au milieu du parc de Montmorency, entre l'orangerie et une pièce d'eau pendant les réparations que l'on faisait au Mont-Louis. Il vécut dans cette « profonde et délicieuse solitude, au milieu des eaux et du bois » jusqu'en juin 1762.

lier ou rampant; et ce danger même, qui me préoccupe, m'empêche de rien faire ou de rien dire à propos. Déjà, sans le vouloir, je puis avoir commis quelque faute, et cette crainte est bien raisonnable à un homme qui ne sait point comment on doit se conduire avec les grands, qui ne s'est point soucié de l'apprendre, et qui n'aura qu'une fois en sa vie regretté de ne le pas savoir.

Pardonnez donc, monsieur le Maréchal, la timidité qui me fait hésiter à me prévaloir d'une grâce à laquelle je devais si peu m'attendre, et dont je voudrais ne pas abuser. Je n'ai point, quant à moi, changé de résolution; mais je crains de vous avoir donné lieu de changer de sentiment sur mon compte. Si M. Chassot m'apprend, de votre part et de celle de Mme la Maréchale, que je suis toujours le bienvenu, vous verrez, par mon empressement à profiter de vos grâces, que ce n'est pas la crainte d'être ingrat qui m'a fait balancer.

Soit que j'habite votre maison et que je sois admis quelquefois auprès de vous, soit que je reste dans la distance qui me convient, les bontés dont vous m'avez honoré, et la manière dont j'ai tâché d'y répondre, ont mis désormais un intérêt commun entre nous. L'estime réciproque rapproche tous les états; quelque élevé que vous soyez, quelque obscur que je puisse être, la gloire de chacun des deux ne doit plus être indifférente à l'autre. Je me dirai tous les jours de ma vie : souviens-toi que M. le Maréchal duc de Luxembourg t'honora de sa visite, et vint s'asseoir sur ta chaise de paille, au milieu de tes pots cassés[1], ce ne fut ni pour ton nom ni pour ta fortune, mais pour quelque réputation de probité que tu t'es acquise; ne le fais jamais rougir de l'honneur qu'il t'a fait. Daignez, monsieur le Maréchal, vous dire aussi quelquefois : il est dans le patrimoine de mes pères un solitaire qui s'intéresse à moi, qui s'attendrit au bruit de ma bénéficence, qui joint les bénédictions de son cœur à celles des malheureux que je soulage, et qui m'honore, non parce que je suis grand, mais parce que je suis bon.

Recevez, monsieur le Maréchal, les humbles témoignages de ma reconnaissance et de mon profond respect.

A MONSIEUR LE MARÉCHAL DE LUXEMBOURG

Au petit château, le 27 mai 1759[2].

Monsieur,

Votre maison est charmante; le séjour en est délicieux. Il le serait plus encore si la magnificence que j'y trouve et les attentions qui m'y suivent me laissaient un peu moins apercevoir que je ne suis pas chez moi. A

1. « Quand M. le Maréchal m'était venu voir à Montlouis, je l'avais reçu avec peine, lui et sa suite, dans mon unique chambre, non parce que je fus obligé de le faire asseoir au milieu de mes assiettes sales et de mes pots cassés, mais parce que mon plancher pourri tombait en ruine, et que je craignais que le poids de sa suite ne l'effondrât tout à fait. » (*Confessions*, liv. X).

2. Rousseau logeait depuis le 15 mai au petit château de Montmorency.

cela près, il ne manque au plaisir avec lequel je l'habite que celui de vous en voir le témoin.

Vous savez, monsieur le Maréchal, que les solitaires ont tous l'esprit romanesque. je suis plein de cet esprit; je le sens et ne m'en afflige point. Pourquoi chercherais-je à guérir d'une si douce folie, puisqu'elle contribue à me rendre heureux? Gens du monde et de la cour, n'allez pas vous croire plus sages que moi; nous ne différons que par nos chimères.

Voici donc la mienne en cette occasion. Je pense que, si nous sommes tous deux tels que j'aime à le croire, nous pouvons former un spectacle rare, et peut-être unique, dans un commerce d'estime et d'amitié (vous m'avez dicté ce mot[1]) entre deux hommes d'états si divers, qu'ils ne semblaient pas faits pour avoir la moindre relation entre eux. Mais pour cela, monsieur, il faut rester tel que vous êtes, et me laisser tel que je suis. Ne veuillez point être mon patron; je vous promets, moi, de ne point être votre panégyriste; je vous promets de plus que nous aurons fait tous deux une très belle chose, et que notre société, si j'ose employer ce mot, sera, pour l'un et pour l'autre, un sujet d'éloge préférable à tous ceux que l'adulation prodigue. Au contraire, si vous voulez me protéger, me faire des dons, obtenir pour moi des grâces, me tirer de mon état, et que j'acquiesce à vos bienfaits, vous n'aurez recherché qu'un faiseur de phrases, et vous ne serez plus qu'un

1. Le maréchal avait écrit à Rousseau : « Je désire de tout mon cœur qu'une connaissance plus intime puisse me mériter votre amitié. »

grand à mes yeux. J'espère que ce n'est pas à cette opinion réciproque qu'aboutiront les bontés dont vous m'honorez.

Mais, monsieur, il faut vous avouer tout mon embarras. Je n'imagine point la possibilité de ne voir que vous et Mme la Maréchale, au milieu de la foule inséparable de votre rang, et dont vous êtes sans cesse environnés. C'est pourtant une condition dont j'aurais peine à me départir. Je ne veux ni complaire aux curieux, ni voir, pas même un moment, d'autres hommes que ceux qui me conviennent; et si j'avais cru faire pour vous une exception, je ne l'aurais jamais faite. Mon humeur ne souffre d'aucune gêne, mes incommodités qui ne la sauraient supporter, mes maximes sur lesquelles je ne veux point me contraindre, et qui sûrement offenseraient tout autre que vous, la paix surtout et le repos de ma vie, tout m'impose la douce loi de finir comme j'ai commencé. Monsieur le Maréchal, je souhaite de vous voir, de cultiver votre estime, d'apprendre de vous à la mériter; mais je ne puis vous sacrifier ma retraite. Faites que je puisse vous voir seul, et trouvez bon que je ne vous voie que de cette manière.

Je ne me pardonnerais jamais d'avoir ainsi capitulé avec vous avant d'accepter l'honneur de vos offres, et c'est encore un hommage que je crois devoir à votre générosité, de ne vous dire mes fantaisies qu'après m'être mis en votre pouvoir : car, en sentant quels devoirs j'allais contracter, j'en ai pris l'engagement sans crainte. Je n'ignore pas que mon séjour ici, qui n'est rien pour vous, est pour moi d'une extrême conséquence. Je sais que, quand je n'y aurais couché qu'une nuit, le public, la postérité peut-être, me demanderaient compte de cette seule nuit. Sans doute ils me le demanderont du reste de ma vie; je ne suis pas en peine de la réponse. Monsieur, ce n'est pas à moi de la faire. En vous nommant, il faut que je sois justifié, ou jamais je ne saurais l'être.

Je ne crois pas avoir besoin d'excuse pour le ton que je prends avec vous. Il me semble que vous devez m'entendre. Monsieur le Maréchal, je pourrais, il est vrai, vous parler en termes plus respectueux, mais non pas plus honorables.

A Madame la Marquise de Verdelin[1]

A Montmorency, le 5 novembre 1760.

Vous me dites, madame, que vous ne vous êtes pas bien expliquée pour me faire entendre que je m'explique mal; vous me prétendez de votre prétendue bêtise pour me faire sentir la mienne; vous vous vantez de n'être qu'une bonne femme, comme si vous aviez peur d'être prise au mot; et vous me faites des excuses pour m'apprendre que je vous en dois. Oui, madame, je le sais bien; c'est moi qui suis une bête, un bon homme,

1. Marie-Madeleine de Brémond d'Ars, femme du marquis de Verdelin, veilla pendant longtemps sur Rousseau. Elle alla le voir à Môtiers au moment de sa persécution et l'engagea à se retirer en Angleterre.

et pis encore, s'il est possible. C'est moi qui choisis mal mes termes, au gré d'une belle dame française, qui fait tant d'attention aux paroles, et qui parle aussi bien que vous. Mais considérez que je les prends dans le sens commun de la langue, sans être au fait ou en souci des honnêtes acceptions qu'on leur donne dans les vertueuses sociétés de Paris. Si quelquefois mes expressions ont un tour équivoque, je tâche de vivre de manière que ma conduite en détermine le sens.

Je me suis rendu peu difficile, madame, sur vos premiers présents, ou dons, ou cadeaux, ou comme il vous plaira de les appeler; car je ne sais pas trouver le mot propre. J'y recevais avec reconnaissance les témoignages de votre bon cœur et comme vous disiez vous-même, les soins de votre amitié. Quand ils ont commencé à devenir plus fréquents et plus incommodes, je vous l'ai dit. Alors Mlle Le Vasseur vous a servi de prétexte, et enfin M. Coindet, comme si ce qu'on m'envoie à manger chez moi pouvait paraître ailleurs que sur ma table. Je ne sais, madame, si vous vous plaisez à me contraindre, ou si vous me soupçonnez de ne faire que jouer; mais je sais bien que ces jeux-là me lassent, et que je n'en veux plus souffrir. Au reste, je trouve assez injuste que, donnant tant d'importance à ce que je dis et si peu à ce que je fais, vous me traitiez en homme par mes paroles, et en enfant par mes actions.

Je n'ai point oublié et je n'oublierai jamais les attentions et les bontés dont vous m'avez honoré, et ce souvenir ne peut qu'augmenter le regret que j'ai de n'être pas d'un meilleur commerce et plus digne d'être admis dans votre société. J'avais besoin sans doute d'être averti que je ne suis près de vous qu'une simple connaissance. Si vous me l'eussiez dit plus tôt, madame, je vous aurais épargné l'ennui de mes visites, car pour moi je n'ai point de temps à donner à mes connaissances; je n'en ai que pour mes amis.

Recevez, madame, les assurances de mon profond respect.

A Madame de Luxembourg

A Montmorency, le 12 juin 1761.

Que de choses j'aurais à vous dire avant que de vous quitter! Mais le temps me presse; il faut abréger ma confession, et verser dans votre cœur bienfaisant mon dernier secret. Vous saurez donc que depuis seize ans j'ai vécu dans la plus grande intimité avec cette pauvre fille qui demeure avec moi, excepté depuis ma retraite à Montmorency, que mon état m'a forcé de vivre avec elle comme avec ma sœur; mais ma tendresse pour elle n'a point diminué et, sans vous, l'idée de la laisser sans ressource empoisonnerait mes derniers instants.

De ces liaisons sont provenus cinq enfants, qui tous ont été mis aux Enfants-Trouvés, et avec si peu de précaution pour les reconnaître un jour, que je n'ai même pas gardé la date de leur naissance. Depuis plusieurs années, le remords de cette négligence trouble mon repos, et je meurs sans pouvoir la réparer, au grand regret de la mère et au mien. Je fis mettre seulement dans les langes de l'aîné une marque dont j'ai gardé le double; il doit être né, ce me semble, dans l'hiver de 1746 à 47, ou à peu près, voilà tout ce que je me rappelle. S'il y avait le moyen de retrouver cet enfant, ce serait faire le bonheur de sa tendre mère; mais j'en désespère, et je n'emporte point avec moi cette consolation. Les idées dont ma faute a rempli mon esprit ont contribué en grande partie à me faire méditer le *Traité de l'éducation;* et vous y trouverez, dans le livre Ier, un passage qui peut vous indiquer cette disposition[1]. Je n'ai point épousé la mère, et je n'y étais point obligé, puisque avant de me lier avec elle, je lui ai déclaré que je ne l'épouserais jamais, et même un mariage public nous eût été impossible à cause de la différence de religion; mais du reste, je l'ai toujours aimée et honorée comme ma femme, à cause de son bon cœur, de sa sincère affection, de son désintéressement sans exemple, et de sa fidélité sans tache, sur laquelle elle ne m'a pas même occasionné le moindre soupçon.

Voilà, madame la Maréchale, la trop juste raison de ma sollicitude sur le sort de cette pauvre fille après qu'elle m'aura perdu; tellement que, si j'avais moins de confiance en votre amitié pour moi et en celle de M. le Maréchal, je partirais pénétré de douleur de l'abandon

1. On lit dans l'*Émile :* « Celui qui ne veut pas remplir les devoirs de père n'a point le droit de le devenir. Il n'y a ni pauvreté, ni travaux, ni respect humain qui le dispensent de nourrir ses enfants... Lecteurs, vous pouvez m'en croire... »

où je la laisse; mais je vous la confie, et je meurs en paix à cet égard. Il me reste à vous dire ce que je pense qui conviendrait le mieux à sa situation et à son caractère, et qui donnerait le moins de prise à ses défauts.

Ma première idée était de vous prier de lui donner asile dans votre maison, ou auprès de l'enfant qui en est l'espoir, jusqu'à ce qu'il sortît des mains des femmes; mais infailliblement, cela ne réussirait point; il y aurait trop d'intermédiaires entre vous et elle, et elle a, dans votre maison, des malveillants qu'elle ne s'est assurément point attirés par sa faute, et qui trouveraient infailliblement l'art de la disgracier tôt ou tard auprès de vous ou de M. le Maréchal. Elle n'a pas assez de souplesse et de prudence pour se maintenir avec tant d'esprits différents, et se prêter aux petits manèges avec lesquels on gagne la confiance des maîtres, quelque éclairés qu'ils soient. Encore une fois, cela ne réussirait point; ainsi je vous prie de n'y pas songer.

Je ne voudrais pas non plus qu'elle demeurât à Paris de quelque manière que ce fût; bien sûr que, craintive et facile à subjuguer, elle y deviendrait la proie et la victime de sa nombreuse famille, gens d'une avidité et d'une méchanceté sans bornes, auxquels j'ai eu moi-même bien de la peine à l'arracher, et qui sont cause en grande partie de ma retraite en campagne. Si jamais elle demeure à Paris, elle est perdue, car, leur fût-elle cachée, comme elle est d'un bon naturel, elle ne pourra jamais s'abstenir de les voir, et en peu de temps, ils lui suceront le sang jusqu'à la dernière goutte, et puis la feront mourir de mauvais traitements.

Je n'ai pas de moins fortes raisons pour souhaiter qu'elle n'aille point demeurer avec sa mère, livrée à mes plus cruels ennemis, nourrie par eux à mauvaise intention, et qui ne cherchent que l'occasion de punir cette pauvre fille de n'avoir point voulu se prêter à leurs complots contre moi. Elle est la seule qui n'ait rien eu de sa mère, et la seule qui l'ait nourrie et soignée dans sa misère; et si j'ai donné, durant douze ans, asile à cette femme, vous comprenez bien que c'est pour la fille que je l'ai fait. J'ai mille raisons, trop longues à détailler, pour désirer qu'elle ne retourne point avec elle. Ainsi, je vous prie d'interposer même, s'il le faut, votre autorité pour l'en empêcher.

Je ne vois que deux partis qui lui conviennent : l'un de continuer d'occuper mon logement, et de vivre en paix à Montmorency; ce qu'elle peut faire à peu de frais avec votre assistance et protection, tant du produit de mes écrits que de celui de son travail, car elle coud très bien; et il ne lui manque que de l'occupation, que vous voudrez bien lui donner ou lui procurer, souhaitant seulement qu'elle ne soit point à la discrétion des femmes de chambre, car leur tyrannie et leur monopole me sont connus.

L'autre parti est d'être placée dans quelque communauté de province où l'on vit à bon marché, et où elle pourrait très bien gagner sa vie par son travail. J'aimerais moins ce parti que l'autre, parce qu'elle serait ainsi trop loin de vous, et pour d'autres raisons encore. Vous choisirez pour le mieux, madame la Maréchale; mais quelque choix que vous fassiez, je vous supplie de faire en sorte qu'elle ait toujours sa liberté, et qu'elle soit la maîtresse de changer de demeure sitôt qu'elle ne se trouvera pas bien. Je vous supplie enfin de ne pas dédaigner de prendre soin de ses petites affaires, en sorte que, quoi qu'il arrive, elle ait du pain jusqu'à la fin de ses jours.

J'ai prié M. le Maréchal de vous consulter sur le choix de la personne qu'il chargerait de veiller aux intérêts de la pauvre fille après mon décès. Vous n'ignorez pas l'injuste partialité que marque contre elle celui qui naturellement serait choisi pour cela. Quelque estime que j'aie conçue pour sa probité, je ne voudrais pas qu'elle restât à la merci d'un homme que je dois croire honnête, mais que je vois livré, par un aveuglement inconcevable, aux intérêts et aux passions d'un fripon.

Vous voyez, madame la Maréchale, avec quelle simplicité, avec quelle confiance, j'épanche mon cœur devant vous. Tout le reste de l'univers n'est déjà plus rien à mes yeux. Ce cœur qui vous aima sincèrement ne vit déjà plus que pour vous, pour M. le Maréchal, et pour la pauvre fille. Adieu, amis tendres et chéris; aimez un peu ma mémoire; pour moi, j'espère vous aimer encore dans l'autre vie; mais quoi qu'il en soit de cet obscur et redoutable mystère, en quelque heure que la mort me surprenne, je suis sûr qu'elle me trouvera pensant à vous.

POUR MONSIEUR DU PARC (DOM DESCHAMPS)

A Montmorency, le 25 juin 1761.

Vous me pardonnerez, monsieur[1], le délai de ma réponse quand vous saurez que j'ai été très mal, et que je continue d'être en proie à des douleurs sans relâche qui ne me laissent guère la liberté d'écrire. La vérité que j'aime n'est pas tant métaphysique que morale; j'aime la vérité parce que je hais le mensonge; je ne puis être inconséquent là-dessus que quand je serai de mauvaise foi. J'aimerais bien aussi la vérité métaphysique si je croyais qu'elle fût à notre portée; mais je n'ai jamais vu qu'elle fût dans les livres, et désespérant de l'y trouver, je dédaigne leur instruction, persuadé que la vérité qui nous est utile est plus près de nous et qu'il ne faut pas pour l'acquérir un si grand appareil de science. Votre ouvrage, monsieur, peut donner cette démonstration promise et manquée par tous les philosophes, mais je ne puis changer de maxime sur des raisons que je ne connais pas. Cependant votre

1. Dom Leger-Marie Deschamps, né à Rennes en 1716 – mort à Montreuil-Bellay en 1774. Mauriste, menant extérieurement une vie religieuse irréprochable, il écrivit pourtant un ouvrage audacieux *le Vrai Système ou le Mot de l'énigme métaphysique et morale,* réédité par J. Thomas et F. Venturi, E. Droz 1938. Il y défend un état de lois, opposé à un état de nature, où, en se passant de Dieu, de la morale, du mariage, de la famille, de la science et de la culture, on ferait l'égalité entre les personnes, donc le bonheur sur terre.

confiance m'en impose; vous promettez tant et si hautement, je trouve d'ailleurs tant de justesse et de raison dans votre manière d'écrire que je serais surpris qu'il n'y en eût pas dans votre philosophie, et je devrais peu l'être avec ma courte vue que vous vissiez où je n'avais pas cru qu'on pût voir. Or, ce doute me donne de l'inquiétude, parce que la vérité que je connais, ou ce que je prends pour elle, est très aimable, qu'il en résulte pour moi un état très doux, et que je ne conçois pas comment j'en pourrais changer sans y perdre. Si mes sentiments étaient démontrés, je m'inquiéterais peu des vôtres; mais à parler sincèrement, je suis bien plus persuadé que convaincu; je crois, mais je ne sais pas; je ne sais pas même si la science qui me manque me sera bonne ou mauvaise, et si peut-être, après l'avoir acquise, il ne faudra pas dire : « Alto quaesivit coelo lucem ingemuitque reperta[1]. »

Voilà, monsieur, la solution ou du moins l'éclaircissement des inconséquences que vous me reprochez. Cependant, il me paraît dur qu'il faille que je me justifie pour vous avoir dit mon sentiment quand vous me l'avez demandé. Je n'ai pris la liberté de vous juger que pour vous complaire; je puis m'être trompé, sans doute; mais l'erreur en ceci n'est pas un tort.

Vous me demandez pourtant encore un conseil sur un sujet très grave, et je vais peut-être encore vous répondre tout de travers. Mais heureusement, ce conseil

1. Parole de Didon dans Virgile : « alto Quaesivit coelo lucem ingemuitque reperta » (*Énéide*, IV, vers 691-92), « Elle a cherché la lumière dans les hauteurs du ciel et elle a gémi de l'avoir trouvée. »

est de ceux qu'un auteur ne demande guère que quand il a déjà pris son parti.

Je remarquerai d'abord que la supposition que votre ouvrage renferme la découverte de la vérité ne vous est pas particulière, elle est commune à tous les philosophes. Sur ce motif, ils publient leurs livres, et la vérité reste à découvrir.

J'ajouterai qu'il ne suffit pas de considérer le bien qu'un livre contient en lui-même, mais qu'on doit aussi peser le mal auquel il peut donner lieu, il faut songer qu'il trouvera moins de lecteurs bien disposés que de mauvais cœurs et de têtes mal faites. Il faut avant de le publier comparer le bien et le mal qu'il peut faire, et les usages avec les abus; c'est par celui de ces deux effets qui doit l'emporter sur l'autre qu'il est bon ou mauvais à publier.

Si je vous connaissais, monsieur, si je savais quel est votre sort, votre état, votre âge, j'aurais peut-être aussi quelque chose à vous dire par rapport à vous. On peut courir des hasards tandis qu'on est jeune, mais il n'est pas sensé d'exposer le repos de sa vie après avoir atteint la maturité. J'ai souvent ouï dire à feu M. de Fontenelle que jamais livre n'avait donné tant de plaisir que de chagrins à son auteur; c'était l'heureux Fontenelle qui disait cela. Jusqu'à quarante ans, je fus sage; à quarante ans, je pris la plume et je la pose avant cinquante, maudissant tous les jours de ma vie celui où mon sot orgueil me la fit prendre et où je vis mon bonheur, mon repos, ma santé s'en aller en fumée sans espoir de les recouvrer jamais. Voilà l'homme à qui vous demandez conseil sur la publication d'un livre. Je vous salue, monsieur, de tout mon cœur.

A MONSIEUR DU PARC (DOM DESCHAMPS)

A Montmorency, le 12 septembre 1761.

Ce que vous m'apprenez, monsieur, dans votre dernière lettre me fait trembler sur la publication de votre ouvrage[1]. Si j'avais dix raisons de vous en détourner, j'en ai maintenant dix mille. Je comprends combien vous devez en être tenté, mais vous qui avez une tête si judicieuse ne sauriez disconvenir avec vous-même qu'une telle démarche ne le fût très peu. Je suis presque assuré que vous feriez le malheur de votre vie. Je ne puis trop vous conjurer d'y bien réfléchir. S'il ne s'agissait que de vous procurer les facilités que vous n'avez pas, c'est un petit service que je pourrais rendre à vous et peut-être au public, mais que vous ne devez jamais attendre de moi que vous ne m'ayez prouvé que vous ne risquez rien du tout.

Vos épîtres m'ont fait plaisir, mais c'est trop d'une. Vous ne sauriez dédier à la fois votre livre au public et à votre meilleur ami; ce serait se moquer de l'un

1. Le correspondant de Rousseau s'était décidé à lui faire connaître sa qualité de prêtre et lui avait envoyé ses *Épîtres dédicatoires*. Il lui proposait de faire imprimer en tête de son ouvrage les lettres qu'ils avaient échangées.

des deux ou plutôt de tous les deux. Le mot des dieux dans celle en vers est bien effarouchant[1]; je ne hais pas cette franchise qui va jusqu'à l'audace. Je l'ai quelquefois impunément parce que je ne tiens à rien et que je mets hardiment tout le monde au pis; mais vous ne pouvez pas dire la même chose. Cette idée de protection des hommes me semble un peu romanesque. Un homme que protégerait le genre humain serait fort mal protégé, parce que le genre humain n'est rien; il n'y a que les puissances qui soient quelque chose. Or, vous n'ignorez pas sans doute que sur rien au monde les puissances ne sont ni ne peuvent être de l'avis du public.

J'avais déjà remarqué sur quelques endroits de votre préface et je remarque encore dans votre épître aux hommes, que vos périodes sont quelquefois un peu enchevêtrées. Prenez garde à cela, surtout dans un livre de métaphysique. Je ne connais point de style plus clair que le vôtre; mais il le deviendra plus encore si vous pouvez couper un peu plus vos périodes et retrancher quelques pronoms.

Je vous aimais sur vos lettres, je vous aime encore plus sur votre portrait, je ne me défie pas même beaucoup de la partialité de l'auteur, précisément à cause qu'il dit de lui sans détour le bien qu'il en pense. Je

1. Dans une de ses épîtres, l'auteur s'adressait « aux hommes » :
« De l'énigme de la nature
Acceptez le mot précieux.
Tout ce que, sans retour, ce mot fait perdre aux dieux,
Vous le gagnez avec usure. »

me souviens que vous m'avez loué d'être modeste; à la bonne heure, mais je vous avoue que j'aimerai toujours beaucoup les gens qui auront le courage de ne l'être pas. Je suis persuadé que vous ressemblez à votre portrait, et j'en suis fort aise. Au reste, je suis persuadé qu'on est toujours très bien peint lorsqu'on s'est peint soi-même, quand même le portraît ne ressemblerait point.

Vous êtes bien bon de me tancer sur mes inexactitudes en fait de raisonnements. En êtes-vous à vous apercevoir que je vois très bien certains objets, mais que je n'en sais point comparer; que je suis assez fertile en propositions sans jamais voir de conséquences; qu'ordre et méthode qui sont vos dieux sont mes furies; que jamais rien ne s'offre à moi qu'isolé et qu'au lieu de lier mes idées dans mes écrits j'use d'une charlatanerie de transitions qui vous en impose tous les premiers à tous vous autres grands philosophes. C'est à cause de cela que je me suis mis à vous mépriser, voyant bien que je ne pouvais pas vous atteindre.

C'est, je pense, répondre assez à l'article qui regarde l'impression de nos lettres que de vous écrire celle-ci; vous devez voir qu'un homme qui écrit de pareilles folies ne les écrit pas pour être imprimées, pas même pour être relues, encore moins copiées. Je veux être libre, incorrect, sans conséquence dans mes lettres comme dans ma conversation; je ne voudrais plus d'un commerce où il faudrait sans cesse être auteur. Cependant, si vous avez assez de temps et de soins à perdre pour vouloir garder et copier mes lettres, je ne vous gêne point là-dessus, pourvu qu'il ne soit jamais question d'impression. Quant aux vôtres, j'ai toujours été fidèle à les brûler et ne les ai point copiées, et vous devez croire que je n'en userai pas plus négligemment à l'avenir aussi longtemps que vous continuerez à l'exiger, puisque j'en sens mieux la conséquence. Bonjour, monsieur, je vous embrasse.

A Monsieur de Malesherbes[1]

De Montmorency, le 4 janvier 1762.

J'aurais moins tardé, monsieur, à vous remercier de la dernière lettre dont vous m'avez honoré[2], si j'avais mesuré ma diligence à répondre sur le plaisir qu'elle m'a fait. Mais outre qu'il m'en coûte beaucoup d'écrire, j'ai pensé qu'il fallait donner quelques jours aux importunités de ces temps-ci, pour ne vous pas accabler des miennes. Quoique je ne me console point de ce qui vient de se passer, je suis très content que vous en soyez instruit, puisque cela ne m'a point ôté votre estime;

1. Rousseau s'est répandu en accusations injustifiées. Revenu à plus de lucidité, il écrit quatre longues lettres (dont nous donnons ici les trois premières), pour se faire mieux connaître et attribuer son affolement à l'extrême solitude où il vit. On peut, dans ces lettres, voir une ébauche des *Confessions*.

2. Celle du 25 janvier 1761. Malesherbes y rassure Rousseau, plein d'appréhension sur l'opinion qu'a pu concevoir, de son caractère, le témoin quotidien de ses récents égarements.

elle en sera plus à moi quand vous ne me croirez pas meilleur que je ne suis.

Les motifs auxquels vous attribuez les partis qu'on m'a vu prendre, depuis que je porte une espèce de nom dans le monde, me font peut-être plus d'honneur que je n'en mérite; mais ils sont certainement plus près de la vérité que ceux que me prêtent ces hommes de lettres qui, donnant tout à la réputation, jugent de mes sentiments par les leurs. J'ai un cœur trop sensible à d'autres attachements pour l'être si fort à l'opinion publique; j'aime trop mon plaisir et mon indépendance pour être esclave de la vanité au point qu'ils le supposent. Celui pour qui la fortune et l'espoir de parvenir ne balança jamais un rendez-vous ou un souper agréable ne doit pas naturellement sacrifier son bonheur au désir de faire parler de lui; et il n'est point du tout croyable qu'un homme qui se sent quelque talent, et qui tarde jusqu'à quarante ans à le faire connaître, soit assez fou pour aller s'ennuyer le reste de ses jours dans un désert, uniquement pour acquérir la réputation d'un misanthrope.

Mais, monsieur, quoique je haïsse souverainement l'injustice et la méchanceté, cette passion n'est pas assez dominante pour me déterminer seul à fuir la société des hommes, si j'avais, en les quittant, quelque grand sacrifice à faire. Non, mon motif est moins noble et plus près de moi. Je suis né avec un amour naturel pour la solitude, qui n'a fait qu'augmenter à mesure que j'ai mieux connu les hommes. Je trouve mieux mon compte avec les êtres chimériques que je rassemble autour de moi qu'avec ceux que je vois dans le monde; et la société dont mon imagination fait les frais dans ma retraite achève de me dégoûter de toutes celles que j'ai quittées. Vous me supposez malheureux et consumé de mélancolie. O monsieur! combien vous vous trompez! C'est à Paris que je l'étais, c'est à Paris qu'une bile noire rongeait mon cœur, et l'amertume de cette bile ne se fait que trop sentir dans tous les écrits que j'ai publiés tant que j'y suis resté. Mais, monsieur, comparez ces écrits avec ceux que j'ai faits dans ma solitude; ou je suis trompé, ou vous sentirez dans ces derniers une certaine sérénité d'âme qui ne se joue point, et sur laquelle on peut porter un jugement certain de l'état intérieur de l'auteur. L'extrême agitation que je viens d'éprouver vous a pu faire porter un jugement contraire; mais il est facile à voir que cette agitation n'a point son principe dans ma situation actuelle, mais dans une imagination déréglée, prête à s'effaroucher sur tout, et à porter tout à l'extrême. Des succès continus m'ont rendu sensible à la gloire; et il n'y a point d'hommes ayant quelque hauteur d'âme et quelque vertu qui pût penser, sans le plus mortel désespoir, qu'après sa mort on substituerait sous son nom à un ouvrage utile un ouvrage pernicieux, capable de déshonorer sa mémoire, et de faire beaucoup de mal[1]. Il se peut qu'un tel bouleversement ait accéléré le progrès de mes maux; mais, dans la supposition qu'un tel accès

1. Il avait en effet craint de mourir avant la publication de l'*Émile*, et que cet ouvrage ne fût défiguré.

de folie m'eût pris à Paris, il n'est point sûr que ma propre volonté n'eût pas épargné le reste de l'ouvrage à la nature.

Longtemps je me suis abusé moi-même sur la cause de cet invincible dégoût que j'ai toujours éprouvé dans le commerce des hommes; je l'attribuais au chagrin de n'avoir pas l'esprit assez présent pour montrer dans la conversation le peu que j'en ai, et, par contrecoup, à celui de ne pas occuper dans le monde la place que j'y croyais mériter. Mais quand, après avoir barbouillé du papier, j'étais bien sûr, même en disant des sottises, de n'être pas pris pour un sot; quand je me suis vu recherché de tout le monde, et honoré de beaucoup plus de considération que ma plus ridicule vanité n'en eût osé prétendre, et que, malgré cela, j'ai senti ce même dégoût plus augmenté que diminué, j'ai conclu qu'il venait d'une autre cause, et que ces espèces de jouissances n'étaient point celles qu'il me fallait.

Quelle est donc enfin cette cause? Elle n'est autre que cet indomptable esprit de liberté que rien n'a pu vaincre, et devant lequel les honneurs, la fortune et la réputation même, ne me sont rien. Il est certain que cet esprit de liberté me vient moins d'orgueil que de paresse; mais cette paresse est incroyable : tout l'effarouche; les moindres devoirs de la vie civile lui sont insupportables; un mot à dire, une lettre à écrire, une visite à faire, dès qu'il le faut, sont pour moi des supplices. Voilà pourquoi, quoique le commerce ordinaire des hommes me soit odieux, l'intime amitié m'est si chère, parce qu'il n'y a plus de devoir pour elle; on suit son cœur, et tout est fait. Voilà encore pourquoi j'ai toujours tant redouté les bienfaits; car tout bienfait exige reconnaissance, et je me sens le cœur ingrat, par cela seul que la reconnaissance est un devoir. En un mot, l'espèce de bonheur qu'il me faut n'est pas tant de faire ce que je veux, que de ne pas faire ce que je ne veux pas. La vie active n'a rien qui me tente; je consentirais cent fois plutôt à ne jamais rien faire qu'à faire quelque chose malgré moi; et j'ai cent fois pensé que je n'aurais pas vécu trop malheureux à la Bastille, n'y étant tenu à rien du tout qu'à rester là[1].

J'ai cependant fait, dans ma jeunesse, quelques efforts pour parvenir. Mais ces efforts n'ont jamais eu pour but que la retraite et le repos dans ma vieillesse; et, comme ils n'ont été que par secousse, comme ceux d'un paresseux, ils n'ont jamais eu le moindre succès. Quand les maux sont venus, ils m'ont fourni un beau prétexte pour me livrer à ma passion dominante. Trouvant que c'était une folie de me tourmenter pour un âge auquel je ne parviendrais pas, j'ai tout planté là, et je me suis dépêché de jouir. Voilà, monsieur, je vous le jure, la véritable cause de cette retraite, à laquelle nos gens de lettres ont été chercher des motifs d'ostentation qui supposent une constance, ou plutôt une obstination à tenir à ce qui me coûte, directement contraire à mon caractère naturel.

Vous me direz, monsieur, que cette indolence sup-

1. C'est ainsi qu'en 1765 il demandera sérieusement aux autorités bernoises la faveur d'être emprisonné jusqu'à la fin de ses jours.

posée s'accorde mal avec les écrits que j'ai composés depuis dix ans, et avec ce désir de gloire qui a dû m'exciter à les publier. Voilà une objection à résoudre, qui m'oblige à prolonger ma lettre, et qui, par conséquent, me force à la finir. J'y reviendrai, monsieur, si mon ton familier ne vous déplaît pas; car, dans l'épanchement de mon cœur, je n'en saurais prendre un autre; je me peindrai sans fard et sans modestie; je me montrerai à vous tel que je me vois et tel que je suis; car, passant ma vie avec moi, je dois me connaître, et je vois, par la manière dont ceux qui pensent me connaître interprètent mes actions et ma conduite, qu'ils n'y connaissent rien. Personne au monde ne me connaît que moi seul. Vous en jugerez quand j'aurai tout dit.

Ne me renvoyez point mes lettres, monsieur, je vous supplie; brûlez-les, parce qu'elles ne valent pas la peine d'être gardées, mais non pas par égard pour moi. Ne songez pas non plus, de grâce, à retirer celles qui sont entre les mains de Duchesne[1].

S'il fallait effacer dans le monde les traces de toutes mes folies, il y aurait trop de lettres à retirer, et je ne remuerais pas le bout du doigt pour cela. A charge et à décharge, je ne crains point d'être vu tel que je suis. Je connais mes grands défauts, et je sens vivement tous mes vices. Avec tout cela, je mourrai plein d'espoir dans

1. Fort heureusement, M. de Malesherbes ne lui a pas obéi. Rousseau d'ailleurs lui redemanda le 26 octobre suivant ses quatre lettres, au moment où il commençait à s'occuper d'écrire ses *Confessions*.

le Dieu suprême, et très persuadé que, de tous les hommes que j'ai connus en ma vie, aucun ne fut meilleur que moi[1].

A Monsieur de Malesherbes

A Montmorency, le 12 janvier 1762.

Je continue, monsieur, à vous rendre compte de moi, puisque j'ai commencé; car ce qui peut m'être le plus défavorable est d'être connu à demi; et puisque mes fautes ne m'ont point ôté votre estime, je ne présume pas que ma franchise me la doive ôter.

Une âme paresseuse qui s'effraye de tout soin, un tempéramment ardent, bilieux, facile à s'affecter, et sensible à l'excès à tout ce qui l'affecte, semblent ne pouvoir s'allier dans le même caractère; et ces deux contraires composent pourtant le fond du mien. Quoique je ne puisse résoudre cette opinion par des principes, elle existe pourtant; je le sens, rien n'est plus certain, et j'en puis du moins donner par les faits une espèce d'historique qui peut servir à la concevoir. J'ai eu plus d'activité dans l'enfance, mais jamais comme un autre enfant. Cet ennui de tout m'a de bonne heure jeté dans la lecture. A six ans, Plutarque me tomba sous la main; à huit, je le savais par cœur; j'avais lu tous les romans; ils m'avaient fait verser des seaux de larmes

1. Ce sera le sens des premiers mots des *Confessions*.

avant l'âge où le cœur prend intérêt aux romans. De là se forma dans le mien ce goût héroïque et romanesque qui n'a fait qu'augmenter jusqu'à présent, et qui acheva de me dégoûter de tout, hors de ce qui ressemblait à mes folies. Dans ma jeunesse, que je croyais trouver dans le monde les mêmes gens que j'avais connus dans mes livres, je me livrais sans réserve à quiconque savait m'en imposer par un certain jargon dont j'ai toujours été la dupe. J'étais actif, parce que j'étais fou; à mesure que j'étais détrompé je changeais de goûts, d'attachements, de projets; et dans tous ces changements, je perdais toujours ma peine et mon temps, parce que je cherchais toujours ce qui n'était point. En devenant plus expérimenté, j'ai perdu à peu près l'espoir de le trouver, et par conséquent le zèle de le chercher. Aigri par les injustices que j'avais éprouvées, par celles dont j'avais été le témoin, souvent affligé du désordre où l'exemple et la force des choses m'avaient entraîné moi-même, j'ai pris en mépris mon siècle et mes contemporains; et, sentant que je ne trouverais point au milieu d'eux une situation qui pût contenter mon cœur, je l'ai peu à peu détaché de la société des hommes, et je m'en suis fait une autre dans mon imagination, laquelle m'a d'autant plus charmé, que je la pouvais cultiver sans peine, sans risque, et la trouver toujours sûre et telle qu'il me la fallait.

Après avoir passé quarante ans de ma vie ainsi mécontent de moi-même et des autres, je cherchais inutilement à rompre les liens qui me tenaient attaché à cette société que j'estimais si peu, et qui m'enchaînaient aux occupations le moins de mon goût, par des besoins que j'estimais ceux de la nature, et qui n'étaient que ceux de l'opinion : tout à coup un heureux hasard vint m'éclairer sur ce que j'avais à faire pour moi-même, et à penser de mes semblables, sur lesquels mon cœur était sans cesse en contradiction avec mon esprit, et que je me sentais encore porté à aimer, avec tant de raisons de les haïr. Je voudrais, monsieur, vous pouvoir peindre ce moment qui fait dans ma vie une si singulière époque, et qui me sera toujours présent, quand je vivrais éternellement.

J'allais voir Diderot, alors prisonnier à Vincennes; j'avais dans ma poche un *Mercure de France,* que je me mis à feuilleter le long du chemin. Je tombe sur la question de l'Académie de Dijon, qui a donné lieu à mon premier écrit. Si jamais quelque chose a ressemblé à une inspiration subite, c'est le mouvement qui se fit en moi à cette lecture; tout à coup je me sens l'esprit ébloui de mille lumières; des foules d'idées vives s'y présentent à la fois avec une force et une confusion qui me jeta dans un trouble inexprimable; je sens ma tête prise par un étourdissement semblable à l'ivresse. Une violente palpitation m'oppresse, soulève ma poitrine; ne pouvant plus respirer en marchant, je me laisse tomber sous un des arbres de l'avenue, et j'y passe une demi-heure dans une telle agitation qu'en me relevant j'aperçus tout le devant de ma veste mouillé de mes larmes, sans avoir senti que j'en répandais. O monsieur! si j'avais jamais pu écrire le quart de ce que j'ai vu et senti sous cet arbre, avec quelle clarté j'aurais fait voir toutes les contradictions du système social! avec quelle force j'aurais exposé tous les abus de nos institutions! avec quelle simplicité j'aurais démontré que l'homme est bon naturellement, et que c'est par ces institutions seules que les hommes deviennent méchants! Tout ce que j'ai pu retenir de ces foules de grandes vérités, qui, dans un quart d'heure, m'illuminèrent sous cet arbre, a été bien faiblement épars dans les trois principaux de mes écrits; savoir, ce premier *Discours,* celui de l'*Inégalité,* et le *Traité de l'éducation;* lesquels trois ouvrages sont inséparables, et forment ensemble un même tout. Tout le reste a été perdu; et il n'y eut d'écrit là-dessus que la *Prosopopée de Fabricius.* Voilà comment, lorsque j'y pensais le moins, je devins auteur presque malgré moi. Il est aisé de concevoir comment l'attrait d'un premier succès et les critiques des barbouilleurs me jetèrent tout de bon dans la carrière. Avais-je quelque vrai talent pour écrire? Je ne sais. Une vive persuasion m'a toujours tenu lieu d'éloquence, et j'ai toujours écrit lâchement et mal quand je n'ai pas été fortement persuadé : ainsi c'est peut-être un retour caché d'amour-propre qui m'a fait choisir et mériter ma devise[1] et m'a si passionnément attaché à la vérité, ou à tout ce que j'ai pris pour elle. Si je n'avais écrit que pour écrire, je suis convaincu que l'on ne m'aurait jamais lu.

Après avoir découvert, ou cru découvrir, dans les fausses opinions des hommes, la source de leurs misères et de leur méchanceté, je sentis qu'il n'y avait que ces mêmes opinions qui m'eussent rendu malheureux moi-même, que mes maux et mes vices me venaient bien plus

1. *Vitam impendere vero.*

de ma situation que de moi-même. Dans le même temps, une maladie, dont j'avais dès l'enfance senti les premières atteintes, s'étant déclarée absolument incurable, malgré toutes les promesses des faux guérisseurs dont je n'ai pas été longtemps la dupe, je jugeai que si je voulais être conséquent, et secouer une fois de dessus mes épaules le pesant joug de l'opinion, je n'avais pas un moment à perdre. Je pris brusquement mon parti avec assez de courage, et je l'ai assez bien soutenu jusqu'ici avec une fermeté dont moi seul peux sentir le prix, parce qu'il n'y a que moi seul qui sache quels obstacles j'ai eus et j'ai encore tous les jours à combattre pour me maintenir sans cesse contre le courant. Je sens pourtant bien que depuis dix ans j'ai un peu dérivé; mais si j'estimais seulement en avoir encore quatre à vivre, on me verrait donner une deuxième secousse, et remonter tout au moins à mon premier niveau, pour n'en plus guère redescendre; car toutes les grandes épreuves sont faites, et il est désormais démontré pour moi, par l'expérience, que l'état où je me suis mis est le seul où l'homme puisse vivre bon et heureux, puisqu'il est le plus indépendant de tous, et le seul où on ne se trouve jamais pour son propre avantage dans la nécessité de nuire à autrui.

J'avoue que le nom que m'ont fait mes écrits a beaucoup facilité l'exécution du parti que j'ai pris. Il faut être cru bon auteur, pour se faire impunément mauvais copiste, et ne pas manquer de travail pour cela. Sans ce premier titre, on m'eût pu trop prendre au mot sur l'autre, et peut-être cela m'aurait-il mortifié; car je brave aisément le ridicule, mais je ne supporterais pas si bien le mépris. Mais si quelque réputation me donne à cet égard un peu d'avantage, il est bien compensé par tous les inconvénients attachés à cette même réputation, quand on ne veut point être esclave, et qu'on veut vivre isolé et indépendant. Ce sont ces inconvénients en partie qui m'ont chassé de Paris, et qui, me poursuivant encore dans mon asile, me chasseraient très certainement plus loin, pour peu que ma santé vînt à se raffermir[1]. Un autre de mes fléaux dans cette grande ville était ces foules de prétendus amis qui s'étaient emparés de moi, et qui, jugeant de mon cœur par les leurs, voulaient absolument me rendre heureux à leur mode, et non pas à la mienne. Au désespoir de ma retraite, ils m'y ont poursuivi pour m'en tirer. Je n'ai pu m'y maintenir sans tout rompre. Je ne suis vraiment libre que depuis ce temps-là.

Libre! non, je ne le suis point encore; mes derniers écrits ne sont point encore imprimés; et, vu le déplorable état de ma pauvre machine, je n'espère plus survivre à l'impression du recueil de tous; mais si, contre mon attente, je puis aller jusque-là et prendre une fois congé du public, croyez, monsieur, qu'alors je serai libre, ou que jamais homme ne l'aura été. *O utinam*! O jour trois fois heureux! Non, il ne me sera pas donné de le voir.

Je n'ai pas tout dit, monsieur, et vous aurez encore peut-être au moins une lettre à essuyer. Heureusement

1. Il songeait alors à se retirer en Touraine.

rien ne vous oblige de les lire, et peut-être y seriez-vous bien embarrassé. Mais pardonnez, de grâce; pour recopier ces longs fatras, il faudrait les refaire, et, en vérité, je n'en ai pas le courage. J'ai sûrement bien du plaisir à vous écrire, mais je n'en ai pas moins à me reposer, et mon état ne me permet pas d'écrire longtemps de suite.

A Monsieur de Malesherbes

A Montmorency, le 26 janvier 1762.

Après vous avoir exposé, monsieur, les vrais motifs de ma conduite, je voudrais vous parler de mon état moral dans ma retraite. Mais je sens qu'il est bien tard; mon âme aliénée d'elle-même est toute à mon corps : le délabrement de ma pauvre machine l'y tient de jour en jour plus attachée, et jusqu'à ce qu'elle s'en sépare enfin tout à coup. C'est de mon bonheur que je voudrais vous parler, et l'on parle mal du bonheur quand on souffre.

Mes maux sont l'ouvrage de la nature, mais mon bonheur est le mien.

Quoi qu'on en puisse dire, j'ai été sage, puisque j'ai été heureux autant que ma nature m'a permis de l'être : je n'ai point été chercher ma félicité au loin, je l'ai cherchée auprès de moi, et l'y ai trouvée. Spartien[1] dit que Similis, courtisan de Trajan, ayant sans méconten-

1. Un des auteurs de l'*Histoire Auguste*.

tement personnel quitté la cour et tous ses emplois pour aller vivre paisiblement à la campagne, fit mettre ces mots sur sa tombe : « J'ai demeuré soixante-seize ans sur la terre, et j'en ai vécu sept. » Voilà ce que je puis dire à quelque égard, quoique mon sacrifice ait été moindre : je n'ai commencé de vivre que le 9 avril 1756[1].

Je ne saurais vous dire, monsieur, combien j'ai été touché de voir que vous m'estimiez le plus malheureux des hommes. Le public sans doute en jugera comme vous, et c'est encore ce qui m'afflige. Oh! que le sort dont j'ai joui n'est-il connu de tout l'univers! chacun voudrait s'en faire un semblable; la paix régnerait sur la terre; les hommes ne songeraient plus à se nuire, et il n'y aurait plus de méchants quand nul n'aurait intérêt à l'être. Mais de quoi jouissais-je enfin quand j'étais seul? De moi, de l'univers entier, de tout ce qui est, de tout ce qui peut être, de tout ce qu'a de beau le monde sensible, et d'imaginable le monde intellectuel; je rassemblais autour de moi tout ce qui pouvait flatter mon cœur; mes désirs étaient la mesure de mes plaisirs. Non, jamais les plus voluptueux n'ont connu de pareilles délices, et j'ai cent fois plus joui de mes chimères qu'ils ne font des réalités.

Quand mes douleurs me font tristement mesurer la longueur des nuits, et que l'agitation de la fièvre m'empêche de goûter un seul instant de sommeil, souvent je me distrais de mon état présent, en songeant aux divers événements de ma vie; et les repentirs, les doux souve-

1. Date de son installation à l'Ermitage.

nirs, les regrets, l'attendrissement, se partagent le soin de me faire oublier quelques moments mes souffrances. Quels temps croiriez-vous, monsieur, que je me rappelle le plus souvent et le plus volontiers dans mes rêves? Ce ne sont point les plaisirs de ma jeunesse; ils furent trop rares, trop mêlés d'amertume, et sont déjà trop loin de moi. Ce sont ceux de ma retraite; ce sont mes promenades solitaires, ce sont ces jours rapides, mais délicieux, que j'ai passés tout entiers avec moi seul, avec ma bonne et simple gouvernante, avec mon chien bien-aimé, ma vieille chatte, avec les oiseaux de la campagne et les biches de la forêt, avec la nature entière et son inconcevable auteur. En me levant avant le soleil pour aller voir, contempler son lever dans mon jardin; quand je voyais commencer une belle journée, mon premier souhait était que ni lettres, ni visites, n'en vinssent troubler le charme. Après avoir donné la matinée à divers soins que je remplissais tous avec plaisir, parce que je pouvais les remettre à un autre temps, je me hâtais de dîner pour échapper aux importuns, et me ménager un plus long après-midi. Avant une heure, même les jours les plus ardents, je partais pour le grand soleil avec le fidèle Achate, pressant le pas dans la crainte que quelqu'un ne vînt s'emparer de moi avant que j'eusse pu m'esquiver; mais quand une fois j'avais pu doubler un certain coin, avec quel battement de cœur, avec quel pétillement de joie je commençais à respirer en me sentant sauvé, en me disant : « Me voilà maître de moi pour le reste de ce jour! » J'allais alors d'un pas plus tranquille chercher quelque lieu sauvage dans la forêt, quelque lieu désert où rien ne montrant la main des hommes n'annonçât la servitude et la domination, quelque asile où je pusse croire avoir pénétré le premier, et où nul tiers importun ne vînt s'interposer entre la nature et moi. C'était là qu'elle semblait déployer à mes yeux une magnificence toujours nouvelle. L'or des genêts et la pourpre des bruyères frappaient mes yeux d'un luxe qui touchait mon cœur; la majesté des arbres qui me couvraient de leur ombre, la délicatesse des arbustes qui m'environnaient, l'étonnante variété des herbes et des fleurs que je foulais sous mes pieds, tenaient mon esprit dans une alternative continuelle d'observation et d'admiration : le concours de tant d'objets intéressants qui se disputaient mon attention, m'attirant sans cesse de l'un à l'autre, favorisait mon humeur rêveuse et paresseuse, et me faisait souvent redire en moi-même : « Non, Salomon dans toute sa gloire ne fut jamais vêtu comme l'un d'eux. »

Mon imagination ne laissait pas longtemps déserte la terre ainsi parée. Je la peuplais bientôt d'êtres selon mon cœur, et, chassant bien loin l'opinion, les préjugés, toutes les passions factices, je transportais dans les asiles de la nature des hommes dignes de les habiter. Je m'en formais une société charmante dont je ne me sentais pas indigne, je me faisais un siècle d'or à ma fantaisie, et remplissant ces beaux jours de toutes les scènes de ma vie qui m'avaient laissé de doux souvenirs, et de toutes celles que mon cœur pouvait désirer encore, je m'attendrissais jusqu'aux larmes sur les vrais plaisirs de l'humanité, plaisirs si délicieux, si purs, et qui sont désormais si loin des hommes. Oh! si dans ces moments, quelque idée de Paris, de mon siècle, et de ma petite gloriole d'auteur, venait troubler mes rêveries, avec quel dédain je la chassais à l'instant pour me livrer, sans distraction, aux sentiments exquis dont mon âme était pleine! Cependant, au milieu de tout cela, je l'avoue, le néant de mes chimères venait quelquefois la contrister tout à coup. Quand tous mes rêves se seraient tournés en réalités, ils ne m'auraient pas suffi; j'aurais imaginé, rêvé, désiré encore. Je trouvais en moi un vide inexplicable que rien n'aurait pu remplir, un certain élancement de cœur vers une autre sorte de jouissance dont je n'avais pas d'idée, et dont pourtant je sentais le besoin. Eh bien, monsieur, cela même était jouissance, puisque j'en étais pénétré d'un sentiment très vif, et d'une tristesse attirante, que je n'aurais pas voulu ne pas avoir.

Bientôt de la surface de la terre j'élevais mes idées à tous les êtres de la nature, au système universel des choses, à l'être incompréhensible qui embrasse tout. Alors, l'esprit perdu dans cette immensité, je ne pensais pas, je ne raisonnais pas, je ne philosophais pas, je me sentais, avec une sorte de volupté, accablé du poids de cet univers, je me livrais avec ravissement à la confusion de ces grandes idées, j'aimais à me perdre en imagination dans l'espace, mon cœur resserré dans les bornes des êtres s'y trouvait trop à l'étroit; j'étouffais dans l'univers; j'aurais voulu m'élancer dans l'infini. Je crois que, si j'eusse dévoilé tous les mystères de la nature, je me serais senti dans une situation moins délicieuse que cette étourdissante extase à laquelle mon esprit se livrait sans retenue, et qui, dans l'agitation de mes transports, me faisait écrier quelquefois : « O grand Être! ô grand Être! » sans pouvoir dire ni penser rien de plus.

Ainsi s'écoulaient dans un délire continuel les journées les plus charmantes que jamais créature humaine ait passées : et quand le coucher du soleil me faisait songer à la retraite, étonné de la rapidité du temps, je croyais n'avoir pas assez mis à profit ma journée, je pensais en pouvoir jouir davantage encore; et, pour réparer le temps perdu, je me disais : « Je reviendrai demain. »

Je revenais à petits pas, la tête un peu fatiguée, mais le cœur content; je me reposais agréablement au retour, en me livrant à l'impression des objets, mais sans penser, sans imaginer, sans rien faire autre chose que sentir le calme et le bonheur de ma situation. Je trouvais mon couvert mis sur ma terrasse. Je soupais de grand appétit sans mon petit domestique; nulle image de servitude et de dépendance ne troublait la bienveillance qui nous unissait tous. Mon chien lui-même était mon ami, non mon esclave; nous avions toujours la même volonté, mais jamais il ne m'a obéi[1].

1. Le chien, dont il parle à plusieurs reprises dans ce morceau, son fidèle Achate, c'est Duc (qu'il nomma Turc pour ne pas désobliger le duc de Luxembourg). La mort de ce chien lui causa un profond chagrin; il reçut des condoléances, comme pour la perte d'un ami : « Je partage votre douleur, lui écrivit Mme de Luxembourg. Ce pauvre Turc! Quel dommage! Il y a bien des amis qui ne le valent pas. » Et comme elle lui offrait un autre chien : « Ce n'est pas, lui répondit-il, un autre chien qu'il me faut, c'est un autre Turc, car le mien était unique; les pertes de cette espèce ne se remplacent point. »

Ma gaieté durant toute la soirée témoignait que j'avais vécu seul tout le jour; j'étais bien différent quand j'avais vu de la compagnie : j'étais rarement content des autres, et jamais de moi. Le soir, j'étais grondeur et taciturne : cette remarque est de ma gouvernante, et, depuis qu'elle me l'a dite, je l'ai toujours trouvée juste en m'observant. Enfin, après avoir fait encore quelques tours dans mon jardin, ou chanté quelque air sur mon épinette, je trouvais dans mon lit un repos de corps et d'âme cent fois plus doux que le sommeil même.

Ce sont là les jours qui ont fait le vrai bonheur de ma vie, bonheur sans amertume, sans ennuis, sans regrets, et auquel j'aurais borné volontiers tout celui de mon existence. Oui, monsieur, que de pareils jours remplissent pour moi l'éternité, je n'en demande point d'autres, et n'imagine pas que je sois beaucoup moins heureux dans ces ravissantes contemplations que les intelligences célestes. Mais un corps qui souffre ôte à l'esprit sa liberté; désormais je ne suis plus seul, j'ai un hôte qui m'importune, il faut m'en délivrer pour être à moi; et l'essai que j'ai fait de ces douces jouissances ne sert plus qu'à me faire attendre avec moins d'effroi le moment de les goûter sans distraction.

Mais me voici déjà à la fin de ma seconde feuille. Il m'en faudrait pourtant encore une. Encore une lettre donc, et puis plus. Pardon, monsieur; quoique j'aime trop à parler de moi, je n'aime pas à en parler avec tout le monde : c'est ce qui me fait abuser de l'occasion quand je l'ai et qu'elle me plaît. Voilà mon tort et mon excuse. Je vous prie de la prendre en gré.

A Monsieur de Malesherbes

Wooton, le 10 mai 1766[1].

Ce n'est pas d'aujourd'hui, monsieur, que j'aime à vous ouvrir mon cœur et que vous le permettez. La confiance que vous m'avez inspirée m'a déjà fait sentir près de vous que l'affliction même a quelquefois ses

1. Entre la lettre autobiographique à M. de Malesherbes du 26 janvier 1762 et cette lettre écrite de Wooton dans le Derbyshire où Richard Davenport a installé Rousseau dans une grande demeure, a éclaté l'affaire de l'*Émile*. A une lettre où il disait : « Jean-Jacques Rousseau ne doit point se cacher », Mme de Créqui lui avait répondu : « Il n'est que trop vrai que vous avez un décret de prise de corps sur le dos. Au nom de Dieu, allez-vous-en! Il ne faut point juger de ses intentions dans les choses publiques, il faut se conduire selon les circonstances. Votre livre, brûlé, ne vous fera nul mal. Votre personne ne peut soutenir la prison. Consultez vos voisins, je suis sûre qu'ils seront de mon avis, l'amitié le dicte, que la prudence y réponde. » C'est alors le séjour à Môtiers, petite principauté neuchâteloise dépendant du roi de Prusse. Durant trois ans il y vivra tranquille grâce à la protection de Frédéric II et du gouverneur Milord Maréchal, Georges Keith, mais le dimanche 1er septembre 1765, Montmollin, pasteur de Môtiers, prononce un sermon hostile à Rousseau. La population de la ville est ameutée. Les 6 et 7 septembre, c'est la « lapidation ». Il se réfugie dans l'île Saint-Pierre, chantée dans les *Rêveries,* mais le Petit Conseil de Berne ordonne qu'il soit expulsé de son île. Le 4 décembre, il accepte de se rendre en Angleterre sur l'invitation du philosophe anglais Hume, qu'il rencontre secrètement à Paris. Ils se mettent en route dans les premières journées de l'année 1766.

douceurs; mais ce prix de l'épanchement me devient bien plus sensible depuis que mes maux, portés à leur comble, ne me laissent plus dans la vie d'autre espoir que des consolations, et depuis qu'à mon dernier voyage à Paris j'ai si bien achevé de vous connaître. Oui, monsieur, avouer un tort, le déclarer, est un effort de justice assez rare; mais s'accuser au malheureux qu'on a perdu, quoique innocemment, et ne l'en aimer que davantage, est un acte de force qui n'appartenait qu'à vous. Votre âme honore l'humanité, et la rétablit dans mon estime. Je savais qu'il y avait encore de l'amitié parmi les hommes; mais sans vous, j'ignorerais qu'il y eût de la vertu.

Laissez-moi donc vous décrire mon état une seconde fois en ma vie.

Que mon sort a changé depuis mon séjour à Montmorency! Vous m'avez cru malheureux alors, et vous vous trompiez; si vous me croyez heureux maintenant, vous vous trompez davantage. Vous allez connaître un genre de malheurs digne de couronner tous les autres, et qu'en vérité je n'aurais pas cru fait pour moi.

Je vivais en Suisse en homme doux et paisible, fuyant le monde, ne me mêlant de rien, ne disputant jamais, ne parlant pas même de mes opinions. On m'en chasse par des persécutions, sans sujet, sans motif, sans prétexte, les plus violentes, les moins méritées qu'il soit possible d'imaginer, et qu'on a la barbarie de me reprocher encore, comme si je me les étais attirées par vanité. Languissant, malade, affligé, je m'acheminais, à l'entrée de l'hiver, vers Berlin.

A Strasbourg, je reçois de M. Hume les invitations les plus tendres de me livrer à sa conduite, et de le suivre en Angleterre, où il se charge de me procurer une retraite agréable et tranquille. J'avais eu déjà le projet de m'y retirer; milord Maréchal me l'avait toujours conseillé; M. le duc d'Aumont[1] avait, à la prière de Mme de Verdelin, demandé et obtenu pour moi un passeport. J'en fais usage; je pars le cœur plein du bon David, je cours à Paris me jeter entre ses bras. M. le prince de Conti[2] m'honore de l'accueil plus convenable à sa générosité qu'à ma situation, et auquel je me prête par devoir, mais avec répugnance, prévoyant combien mes ennemis m'en feraient payer cher l'éclat.

Ce fut un spectacle bien doux pour moi que l'augmentation sensible de bienveillance pour M. Hume, que cette bonne œuvre produisit dans tout Paris; il devait en être touché comme moi, je doute qu'il le fut de la même manière. Quoi qu'il en soit, voilà de ces compliments à la française que j'aime, et que les autres nations ne savent guère imiter.

Mais ce qui me fit une peine extrême fut de voir que M. le prince de Conti m'accablait en sa présence de si grandes bontés, qu'elles auraient pu passer pour

1. Le duc d'Aumont avait toujours protégé et aidé J.-J. Rousseau; c'est grâce à lui que *le Devin du village* avait été joué à la cour.

2. Le prince de Conti avait toujours veillé sur J.-J. Rousseau. C'est lui qui fera savoir à Mme de Luxembourg le décret porté contre le philosophe. En 1765, il lui offre un logement au Temple. A son retour d'Angleterre, il l'installera au château de Trye.

railleuses si j'eusse été moins à plaindre, ou que le prince eût été moins généreux : toutes les attentions étaient pour moi; M. Hume était oublié en quelque sorte, ou invité à y concourir. Il était clair que cette préférence d'humanité dont j'étais l'objet en montrait pour lui une beaucoup plus flatteuse : c'était lui dire : « Mon ami Hume, aidez-moi à marquer de la commisération à cet infortuné. » Mais son cœur jaloux fut trop bête pour sentir cette distinction-là.

Nous partons. Il était si occupé de moi qu'il en parlait même durant son sommeil : vous saurez ci-après ce qu'il dit à la première couchée. En débarquant à Douvres, transporté de toucher enfin cette terre de liberté, et d'y être amené par cet homme illustre, je lui sautai au cou, je l'embrassai étroitement sans rien dire, mais en couvrant son visage de baisers et de pleurs. Ce n'est pas la seule fois ni la plus remarquable où il ait pu voir en moi les saisissements d'un cœur pénétré. Je ne sais pas trop ce qu'il fait de ces souvenirs, s'ils lui viennent, mais j'ai dans l'esprit qu'il en doit quelquefois être importuné.

Nous sommes fêtés arrivant à Londres; dans les deux chambres, à la cour même, on s'empresse à me marquer de la bienveillance et de l'estime. M. Hume me présente de très bonne grâce à tout le monde, et il était naturel de lui attribuer, comme je faisais, la meilleure partie de ce bon accueil. L'affluence me fait trouver le séjour de la ville incommode : aussitôt les maisons de campagne se présentent en foule; on m'en offre à choisir dans toutes les provinces.

M. Hume se charge des propositions; il me les fait, il me conduit même à deux ou trois campagnes voisines; j'hésite longtemps sur le choix; je me détermine enfin pour cette province. Aussitôt, M. Hume arrange tout, les embarras s'aplanissent, je pars; j'arrive dans une habitation commode, agréable, et solitaire : le maître prévoit tout, rien ne me manque; je suis tranquille, indépendant. Voilà le moment si désiré où tous mes maux doivent finir : non, c'est là qu'ils commencent, plus cruels que je ne les avais encore éprouvés.

Peut-être n'ignorez-vous pas, monsieur, qu'avant mon arrivée en Angleterre, elle était un des pays de l'Europe où j'avais le plus de réputation, j'oserais presque dire, de considération; les papiers publics étaient pleins de mes éloges, et il n'y avait qu'un cri d'indignation contre mes persécuteurs. Ce ton se soutient à mon arrivée; les papiers l'annoncèrent en triomphe; l'Angleterre s'honorait d'être mon refuge, et elle en glorifiait avec justice ses lois et son gouvernement. Tout à coup, et sans aucune cause assignable, ce ton change, mais si fort et si vite que dans tous les caprices du public on n'en vit jamais un plus étonnant. Le signal fut donné dans un certain magasin, aussi plein d'inepties que de mensonges, et où l'auteur, bien instruit, me donnait pour fils de musicien. Dès ce moment, tout part avec un accord d'insultes et d'outrages qui tient du prodige; des foules de livres et d'écrits m'attaquent personnellement, sans ménagement, sans discrétion, et nulle feuille n'oserait paraître si elle ne contenait quelque malhonnêteté contre moi. Trop accoutumé aux injures du public pour m'en affecter encore, je ne laissais pas d'être surpris de ce changement si brusque, de ce concert si parfaitement unanime, que pas un de ceux qui m'avaient tant loué ne dit un seul mot pour ma défense. Je trouvais bizarre que précisément après le retour de M. Hume, qui a tant d'influence ici sur les gens de lettres et de si grandes liaisons avec eux, sa présence eût produit un effet si contraire à celui que j'en pouvais attendre; que pas un de ses amis ne se fût montré le mien : et l'on voyait bien que les gens qui me traitaient si mal n'étaient pas ses ennemis, puisqu'en faisant sonner haut sa qualité de ministre, ils disaient que je n'avais traversé la France que sous sa protection, qu'il m'avait obtenu un passeport de la cour de France; et peu s'en fallait qu'ils n'ajoutassent que j'avais fait le voyage à ses frais.

Une autre chose m'étonnait davantage. Tous m'avaient également caressé à mon arrivée; mais à mesure que notre séjour se prolongeait, je voyais de la façon la plus sensible changer avec moi les manières de ses amis. Toujours, je l'avoue, ils ont pris les mêmes soins en ma faveur; mais, loin de me marquer la même estime, ils accompagnaient leurs services de l'air dédaigneux le plus choquant; on eût dit qu'ils ne cherchaient à m'obliger que pour avoir droit de me marquer du mépris. Malheureusement, ils s'étaient emparés de moi. Que faire, livré à leur merci dans un pays dont je ne savais pas la langue? Baisser la tête et ne pas voir les affronts. Si quelques Anglais ont continué à me marquer de l'estime, ce sont uniquement ceux avec qui M. Hume n'a aucune liaison.

Les flagorneries m'ont toujours été suspectes. Il m'en a fait des plus basses et de toutes les façons; mais je n'ai jamais trouvé dans son langage rien qui sentît la vraie amitié. On eût dit même qu'en voulant me faire des patrons il cherchait à m'ôter leur bienveillance; il voulait plutôt que j'en fusse assisté qu'aimé; et cent fois j'ai été surpris du tour révoltant qu'il donnait à ma conduite près des gens qui pouvaient s'en offenser. Un exemple éclaircira ceci. M. Penneck, du Muséum, ami de milord Maréchal, et pasteur d'une paroisse où l'on voulait m'établir, vient me voir; M. Hume, moi présent, lui fait mes excuses de ne l'avoir pas prévenu. « Le docteur Maty, lui dit-il, nous avait invités pour jeudi au Muséum, où M. Rousseau devait vous voir; mais il préféra d'aller avec Mme Garrick à la comédie; on ne peut pas faire tant de choses en un jour. »

On répand à Paris une fausse lettre du roi de Prusse, qui depuis a été traduite et imprimée ici. J'apprends avec étonnement que c'est un M. Walpole, ami de M. Hume, qui fait courir cette lettre : je lui demande si cela est vrai; au lieu de me répondre, il me demande froidement de qui je le tiens, et quelques jours après, il veut que je confie à ce même M. Walpole des papiers qui m'intéressent et que je cherche à faire venir en sûreté. Je vois cette prétendue lettre du roi de Prusse, et j'y reconnais à l'instant le style de M. d'Alembert, autre ami de M. Hume, et mon ennemi d'autant plus dangereux qu'il a soin de cacher sa haine. J'apprends que le fils du jongleur Tronchin, mon plus mortel ennemi, est non seulement un ami de M. Hume, mais qu'il loge avec lui; et quand M. Hume voit que je sais cela, il m'en fait la confidence, m'assurant que le fils ne ressemble pas au père. J'ai logé deux ou trois nuits avec ma gouvernante dans cette même maison, chez M. Hume; et à l'accueil que nous ont fait ses hôtesses, qui sont ses amies, j'ai jugé de la façon dont lui, ou cet homme qu'il dit ne pas ressembler à son père, leur avait parlé d'elle et de moi.

Tous ces faits combinés, et d'autres semblables que j'observe, me donnent insensiblement une inquiétude que je repousse avec horreur.

Cependant les lettres que j'écris n'arrivent pas; plusieurs de celles que je reçois ont été ouvertes, et toutes ont passé par les mains de M. Hume : si quelqu'une lui échappe, il ne peut cacher l'ardente avidité de la voir. Un soir, je vois encore chez lui une manœuvre de lettre dont je suis frappé. Voici ce que c'est que cette manœuvre, car il peut importer de la détailler. Je vous l'ai dit, monsieur; dans un fait je veux tout dire. Après soupé, gardant tous deux le silence au coin de son feu, je m'aperçois qu'il me regarde fixement, ce qui lui arrive souvent et d'une manière assez remarquable. Pour cette fois son regard ardent et prolongé devint presque inquiétant. J'essaie de le fixer à mon tour; mais en arrêtant mes yeux sur les siens je sens un frémissement inexplicable, et je suis bientôt forcé de les baisser. La physionomie et le ton du bon David sont d'un bon homme, mais il faut que, pour me fixer dans nos tête-à-tête, ce bon homme ait trouvé d'autres yeux que les siens.

L'impression de ce regard me reste : mon trouble augmente jusqu'au saisissement. Bientôt un violent remords me gagne; je m'indigne de moi-même. Enfin, dans un transport, que je me rappelle encore avec délices, je me jette à son cou, je le serre étroitement, je l'inonde de mes larmes, je m'écrie : « Non, non, David Hume n'est pas un traître, s'il n'était le meilleur des hommes, il faudrait qu'il en fût le plus noir. » David Hume me rend mes embrassements, et, tout en me frappant de petits coups sur le dos, me répète plusieurs fois d'un ton tranquille : « Quoi! mon cher monsieur! Eh! mon cher monsieur! Quoi donc! mon cher monsieur! » Il ne me dit rien de plus; je sens que mon cœur se resserre, notre explication finit là; nous allons nous coucher, et le lendemain je pars pour la province.

Je reviens maintenant à ce que j'entendis à Roye la première nuit qui suivit notre départ. Nous étions couchés dans la même chambre, et plusieurs fois au milieu de la nuit je l'entendis s'écrier avec une véhémence extrême : « Je tiens J.-J. Rousseau. » Je pris ces mots dans un sens favorable qu'assurément le ton n'indiquait pas; c'est un ton dont il m'est impossible de donner l'idée, et qui n'a nul rapport à celui qu'il a pendant le jour, et qui correspond très bien aux regards dont j'ai parlé. Chaque fois qu'il dit ces mots, je sentis un tressaillement d'effroi dont je n'étais pas le maître : mais il ne me fallut qu'un moment pour me remettre et rire de ma terreur; dès le lendemain, tout fut si parfaitement oublié, que je n'y ai pas même pensé durant tout mon séjour à Londres et au voisinage. Je ne m'en suis souvenu que depuis mon arrivée ici, en repassant toutes les observations que j'ai faites, et dont le nombre augmente de jour en jour; mais à présent je suis trop sûr de ne plus l'oublier. Cet homme, que mon mauvais destin semble avoir forgé tout exprès pour moi, n'est pas dans la sphère ordinaire de l'humanité, et vous avez assurément plus que personne le droit de trouver son caractère incroyable. Mon dessein n'est pas aussi que vous le jugiez sur mon rapport, mais seulement que vous jugiez de ma situation.

Seul dans un pays qui m'est inconnu, parmi des peuples peu doux, dont je ne sais pas la langue, et qu'on excite à me haïr, sans appui, sans ami, sans moyen de parer les atteintes qu'on me porte, je pourrais pour cela seul sembler fort à plaindre. Je vous proteste cependant que ce n'est ni aux désagréments que j'essuie, ni aux dangers que je peux courir que je suis sensible : j'ai même si bien pris mon parti sur ma réputation, que je ne songe plus à la défendre; je l'abandonne sans peine, au moins durant ma vie, à mes infatigables ennemis. Mais de penser qu'un homme avec qui je n'eus jamais aucun démêlé, un homme de mérite, estimable par ses talents, estimé par son caractère, me tend les bras dans ma détresse, et m'étouffe quand je m'y suis jeté; voilà, monsieur, une idée qui m'atterre. Voltaire, d'Alembert, Tronchin, n'ont jamais un instant affecté mon âme; mais quand je vivrais mille ans, je sens que jusqu'à ma dernière heure jamais David Hume ne cessera de m'être présent.

•

Cependant j'endure mes maux avec assez de patience, et je me félicite surtout de ce que mon naturel n'en est point aigri; cela me les rend moins insupportables. J'ai repris mes promenades solitaires, mais, au lieu d'y rêver, j'herborise; c'est une distraction dont je sens le besoin : malheureusement elle ne m'est pas ici d'une grande ressource; nous avons peu de beaux jours; j'ai de mauvais yeux, un mauvais microscope; je suis trop ignorant pour herboriser sans livres, et je n'en ai point encore ici : d'ailleurs mes nuits sont cruelles, mon corps souffre encore plus que mon cœur; la perte totale du sommeil me livre aux plus tristes idées; l'air du pays joint à tout cela sa sombre influence, et je commence à sentir fréquemment que j'ai trop vécu. Le pis est que je crains la mort encore, non seulement pour elle-même, non seulement pour n'avoir pas un de mes amis qui puisse adoucir mes dernières heures; mais surtout pour l'abandon total où je laisserais ici la compagne de mes misères, livrée à la barbarie, ou, qui pis est, à l'insultante pitié de ceux dont les soins ne sont qu'un raffinement de cruauté pour faire endurer l'opprobre en silence. Je ne sais pas, en vérité, quelles ressources la philosophie offre à un homme dans mon état. Pour moi, je n'en vois que deux qui soient à mon usage, l'espérance et la résignation.

Le plaisir, monsieur, que j'ai de vous écrire est si parfaitement indépendant de l'attente d'une réponse que je ne vous envoie pour cela aucune adresse, bien sûr que vous ne vous servirez pas de celle de M. Hume, avec qui j'ai rompu toute communication. Vos sentiments me sont connus, il ne m'en faut pas davantage, j'aurai l'équivalent de cent lettres dans l'assurance où je suis que vous pensez à moi quelquefois avec intérêt. Je prends le parti de supprimer désormais tout commerce des lettres, hors les cas d'absolue nécessité, de ne plus lire ni journaux ni nouvelles publiques, et de passer dans l'ignorance de ce qui se dit et se fait dans le monde les jours tranquilles qu'on voudra me laisser.

Je fais, monsieur, les vœux les plus vrais et les plus tendres pour votre félicité.

A Milord Maréchal

Le 20 juillet 1766.

La dernière lettre, milord, que j'ai reçue de vous était du 25 mai. Depuis ce temps, j'ai été forcé de déclarer mes sentiments à M. Hume : il a voulu une explication, il l'a eue; j'ignore l'usage qu'il en fera. Quoi qu'il en soit, tout est dit désormais entre lui et moi. Je voudrais vous envoyer copie des lettres, mais c'est un livre pour la grosseur. Milord, le sentiment cruel que nous ne nous verrons plus charge mon cœur d'un poids insupportable; je donnerais la moitié de mon sang pour vous voir un seul quart d'heure encore une fois en ma vie : vous savez combien ce quart d'heure me serait doux, mais vous ignorez combien il me serait important.

Après avoir bien réfléchi sur ma situation présente, je n'ai trouvé qu'un seul moyen possible de m'assurer quelque repos sur mes derniers jours; c'est de me faire oublier des hommes aussi parfaitement que si je n'existais plus, si tant est qu'on puisse appeler existence un reste de végétation inutile à soi-même et aux autres, loin de tout ce qui nous est cher. En conséquence de cette résolution, j'ai pris celle de rompre toute correspondance hors les cas d'absolue nécessité. Je cesse désormais d'écrire et de répondre à qui que ce soit. Je ne fais que deux seules exceptions, dont l'une est pour M. Du Peyrou; je crois superflu de vous dire quelle est l'autre; désormais tout à l'amitié, n'existant plus que par elle, vous sentez que j'ai plus besoin que jamais d'avoir quelquefois de vos lettres.

Je suis très heureux d'avoir pris du goût pour la botanique : ce goût se change insensiblement en une passion d'enfant, ou plutôt en un radotage inutile et vain, car je n'apprends aujourd'hui qu'en oubliant ce que j'ai appris hier, mais n'importe : si je n'ai jamais le plaisir de savoir, j'aurai toujours celui d'apprendre, et c'est tout ce qu'il me faut. Vous ne sauriez croire combien l'étude des plantes jette d'agrément sur mes promenades solitaires. J'ai eu le bonheur de me conserver un cœur assez sain pour que les plus simples amusements lui suffisent, et j'empêche, en m'empaillant la tête, qu'il n'y reste place pour d'autres fatras.

L'occupation pour les jours de pluie, fréquents en ce pays, est d'écrire ma vie; non ma vie extérieure comme les autres, mais ma vie réelle, celle de mon âme, l'histoire de mes sentiments les plus secrets. Je ferai ce que nul homme n'a fait avant moi, et ce que vraisemblablement nul autre ne fera dans la suite. Je dirai tout, le bien, le mal, tout enfin; je me sens une âme qui se peut montrer. Je suis loin de cette époque chérie de 1762, mais j'y viendrai, je l'espère. Je recommencerai, du moins en idées, ces pèlerinages de Colombier, qui furent les jours les plus purs de ma vie. Que ne peuvent-ils recommencer encore, et recommencer sans cesse! Je ne demanderais point d'autre éternité.

M. Du Peyrou me marque qu'il a reçu les trois cents louis. Ils viennent d'un bon père qui, non plus que celui dont il est l'image, n'attend pas que ses enfants lui demandent leur pain quotidien.

Je n'entends point ce que vous me dites d'une prétendue charge que les habitants de Derbyshire m'ont donnée. Il n'y a rien de pareil, je vous assure, et cela m'a tout l'air d'une plaisanterie que quelqu'un vous aura faite sur mon compte; du reste, je suis très content du pays et des habitants, autant qu'on peut l'être à mon âge, d'un climat et d'une manière de vivre auxquels on n'est pas accoutumé. J'espérais que vous me parleriez un peu de votre maison et de votre jardin, ne fût-ce qu'en faveur de la botanique. Ah! que ne suis-je à portée de ce bienheureux jardin, dût mon pauvre Sultan le fourrager un peu comme il fit celui de Colombier!

A Monsieur le Marquis de Mirabeau[1]

(Vers le 25 mars 1767.)

Rien ne me fatigue tant que d'écrire, si ce n'est que de penser; et il me faudrait fatiguer un mois pour répondre à une de vos pages.

N'exigez pas de moi à proportion de ce que vaut ce que vous m'écrivez, mais à proportion de ce qu'il vous coûte, et d'une page j'aurai payé dix de vos lettres; au lieu que, par l'autre calcul, ce serait tout le contraire, et tout mon temps n'y suffirait pas. Vous voulez m'offrir, dites-vous, une autre philosophie. De la philosophie, à moi? Eh! M. le Marquis, vous me faites un honneur que je ne mérite guère. Les systèmes de toute espèce sont trop au-dessus de moi; je n'en mets aucun dans ma vie et dans ma conduite. Réfléchir, comparer, chicaner, persister, combattre, n'est plus mon affaire; je me laisse aller à l'impression du moment sans résistance et même

1. Victor Riquetti, marquis de Mirabeau, né à Perthuis (Vaucluse) le 4 octobre 1715, mort le 10 juillet 1789. D'abord soldat, il se tourna ensuite vers les lettres, sous l'influence de Vauvenargues dont il était l'ami. Son ouvrage *l'Ami des hommes,* publié en 1757, lui apporta une grande notoriété. C'est un traité d'économie sociale qu'il complétera à partir de 1760 en tenant compte de la doctrine des physiocrates, en particulier de Quesnay dont il était l'ami. C'est chez lui, à Meudon, qu'à son retour d'Angleterre, au début mai 1767, J.-J. Rousseau trouvera refuge, avant de vivre pendant un an, au château du prince de Conti à Trye-le-Château, près de Givors. Signalons que cette lettre à Mirabeau n'a pas été envoyée.

sans scrupule; car je suis parfaitement sûr que mon cœur n'aime que ce qui est bien. Tout le mal que j'ai fait en ma vie, je l'ai fait par réflexion; et le peu de bien que j'ai pu faire, je l'ai fait par impulsion. Cela fait que je me livre à mes penchants avec confiance; ils sont si simples, si faciles à suivre : pour les contenter, il en coûte si peu aux autres et à moi-même, qu'en vérité c'est vouloir escrimer à toute force que de se roidir contre eux. Vous supposez que je fuis la société par aversion pour elle : vous vous trompez dans les deux points. Je ne la hais ni ne la fuis. J'en hais la gêne que j'y trouve, et je hais cette gêne mortellement. Sans elle la société me serait agréable; mais la gêne l'empoisonne, et je renonce à un bien dont je peux me passer, pour éviter un mal qui m'est insupportable. Les autres me disent qu'ils n'y trouvent pas cette gêne : tant mieux pour eux; mais je l'y trouve, moi. Voulez-vous disputer sur un fait de sentiment? Il faut que je parle, quand je n'ai rien à dire; que je reste en place, quand je voudrais marcher; assis, quand je voudrais être debout; enfermé dans une chambre, quand je soupire après le grand air; que j'aille ici, quand je voudrais aller ailleurs; que je mange à l'heure des autres; que je marche de leur pas; que je réponde à leurs compliments ou à leurs sarcasmes; que je réponde à des billets verts et rouges, dont je n'entends pas un seul mot; que je raisonne avec les raisonneurs; que je suive le phébus des beaux esprits; que je dise des fadeurs aux femmes; enfin que je fasse toute la journée tout ce que je sais le moins et qui me déplaît le plus, et que je ne fasse rien, je ne dis pas seulement de ce que je voudrais faire, mais de ce que la nature et les plus pressants besoins me demandent, à commencer par celui de pisser, plus fréquent et plus tourmentant pour moi qu'aucun autre. Je frémis encore à m'imaginer dans un cercle de femmes, forcé d'attendre qu'un beau diseur ait fini sa phrase, n'osant sortir sans qu'on me demande si je m'en vais, trouvant dans un escalier bien éclairé d'autres belles dames qui me retardent, une cour pleine de carrosses toujours en mouvement, prêts à m'écraser, des femmes de chambre qui me regardent, MM. les laquais qui bordent les murs et se moquent de moi; ne trouvant pas une muraille, une voûte, un malheureux petit coin qui me convienne; ne pouvant en un mot pisser qu'en grand spectacle et sur quelque noble jambe à bas blancs.

Monsieur, quand il n'y aurait que ce seul article, il suffirait pour me faire prendre en horreur l'habitation d'une ville. Moi qui même déteste les plaines et cherche toujours les lieux fourrés et sombres pour pouvoir, deux cents fois le jour, m'arrêter à mon aise, à l'instant du besoin, sans être vu même des paysans. Je me lève à l'heure qu'on se couche à Paris; je me couche avant qu'on n'y soupe; ma journée est presque finie avant qu'on l'y commence. Mon premier soin est d'aller errant en bonnet de nuit dans la campagne; je vais et viens, rentre et ressors à tous les quarts d'heure. Je ne peux vivre que *sub die;* je ne respire qu'au milieu des prés et des bois; j'étouffe dans une chambre, dans une salle, dans une maison, dans une rue, dans la place Vendôme; le pavé, le gris des murs et des toits, me donne le cauchemar. Et vous voulez que j'aille passer ma vie, ou plutôt l'achever au milieu de tout cela, et il faudra que j'en passe les trois meilleurs quarts encloîtré dans cette triste ou plutôt horrible prison, ne sachant que faire, que devenir, n'ayant que la ressource effroyable des livres, ou de la funeste écritoire; ou bien il faudra qu'à soixante ans je renonce à mes vieilles habitudes, pour m'en faire de toutes nouvelles, comme si je me portais assez bien pour soutenir un pareil changement car, avec les habitudes que j'ai prises et les goûts invincibles dont je me sens subjugué à mon âge, si la dure nécessité me rappelle jamais au séjour des villes, ce ne sera que pour m'y faire enterrer.

Je consens fort que vous n'approuviez pas ma manière de vivre, pourvu que vous n'entrepreniez pas de m'en faire changer. Il n'y a point de raisonnement qui me puisse engager d'en prendre une autre, tant que je sentirai que la mienne me convient. Je vous promets de chercher la société dès qu'elle me sera nécessaire : jusque-là permettez que je reste comme je suis; moi, je vous permets de tout mon cœur, en échange, de trouver que j'ai très grand tort.

Je ne vous ai parlé jusqu'ici que du physique : commençons toujours par examiner ce point et nous passerons aux autres...

A Madame Rousseau

Monquin, ce samedi 12 août 1769.

Depuis vingt-six ans, ma chère amie, que notre union dure, je n'ai cherché mon bonheur que dans le vôtre, je ne me suis occupé qu'à tâcher de vous rendre heureuse; et vous avez vu par ce que j'ai fait en dernier lieu, sans m'y être engagé jamais, que votre honneur et votre bonheur ne m'étaient pas moins chers l'un que l'autre. Je m'aperçois avec douleur que le succès ne répond pas à mes soins, et qu'ils ne vous sont pas aussi doux à recevoir qu'il me l'est de vous les rendre. Je sais que les sentiments de droiture et d'honneur avec lesquels vous êtes née ne s'altéreront jamais en vous; mais quant à ceux de tendresse et d'attachement qui jadis étaient réciproques, je sens qu'ils n'existent plus que de mon côté. Ma chère amie, non seulement vous avez cessé de vous plaire avec moi, mais il faut que vous preniez beaucoup sur vous pour y rester quelques moments par complaisance. Vous êtes à votre aise avec tout le monde hors avec moi, tous ceux qui vous entourent sont dans vos secrets excepté moi, et votre seul véritable ami est le seul exclu de votre confidence. Je ne vous parle point de beaucoup d'autres choses. Il faut prendre nos amis avec leurs défauts, et je dois vous passer les vôtres comme vous me passez les miens. Si vous étiez heureuse avec moi, je serais content; mais je vois clairement que vous ne l'êtes pas, et voilà ce qui me déchire. Si je pouvais faire mieux pour y contribuer, je le ferais et je me tairais; mais cela n'est pas possible. Je n'ai rien omis de ce que j'ai crû pouvoir contribuer à votre félicité; je ne saurais faire davantage, quelque ardent désir que j'en aie. En nous unissant, j'ai fait mes conditions; vous y avez consenti, je les ai remplies. Il n'y avait qu'un tendre attachement de votre part qui pût m'engager à les passer et à n'écouter que notre amour au péril de ma vie et de ma santé.

Convenez, ma chère amie, que vous éloigner de moi n'est pas le moyen de me rapprocher de vous : c'est pourtant mon intention, je vous le jure; mais votre refroidissement m'a retenu, et des agaceries ne suffisent pas pour m'attirer lorsque le cœur me repousse. En ce moment même où je vous écris, navré de détresse et d'affliction, je n'ai pas de désir plus vif et plus vrai que celui de finir mes jours avec vous dans l'union la plus parfaite, et de n'avoir plus qu'un lit lorsque nous n'aurons plus qu'une âme.

Rien ne plaît, rien n'agrée de la part de quelqu'un qu'on n'aime pas. Voilà pourquoi, de quelque façon que je m'y prenne, tous mes soins, tous mes efforts auprès de vous sont insuffisants. Le cœur, ma chère amie, ne se commande pas, et ce mal est sans remède.

Cependant, quelque passion que j'aie de vous voir heureuse à quelque prix que ce soit, je n'aurais jamais songé à m'éloigner de vous pour cela, si vous n'eussiez été la première à m'en faire la proposition. Je sais bien qu'il ne faut pas donner trop de poids à ce qui se dit dans la chaleur d'une querelle; mais vous êtes revenue trop souvent à cette idée pour qu'elle n'ait pas fait sur vous quelque impression. Vous connaissez mon sort, il est tel qu'on n'oserait pas même le décrire, parce qu'on n'y saurait ajouter foi. Je n'avais, chère amie, qu'une seule consolation, mais bien douce, c'était d'épancher mon cœur dans le tien; quand j'avais parlé de mes peines avec toi, elles étaient soulagées; et quand tu m'avais plaint, je ne me trouvais plus à plaindre. Il est sûr que, ne trouvant plus que des cœurs fermés ou faux, toute ma ressource, toute ma confiance est en toi seule; le mien ne peut vivre sans s'épancher, et ne peut s'épancher qu'avec toi. Il est sûr que, si tu me manques et que je sois réduit à vivre absolument seul, cela m'est impossible, et je suis un homme mort. Mais je mourrais cent fois plus cruellement encore, si nous continuions de vivre ensemble en mésintelligence, et que la confiance et l'amitié s'éteignissent entre nous. Ah! mon enfant! à Dieu ne plaise que je sois réservé à ce comble de misère! Il vaut mieux cent fois cesser de se voir, s'aimer encore, et se regretter quelquefois. Quelque sacrifice qu'il faille de ma part pour te rendre heureuse, sois-le à quelque prix que ce soit, et je suis content.

Je te conjure donc, ma chère femme, de bien rentrer en toi-même, de bien sonder ton cœur, et de bien examiner s'il ne serait pas mieux pour l'un et pour l'autre que tu suivisses ton projet de te mettre en pension dans une communauté pour t'épargner les désagréments de mon humeur, et à moi ceux de ta froideur; car, dans l'état présent des choses, il est impossible que nous trouvions notre bonheur l'un avec l'autre : je ne puis rien changer en moi, et j'ai peur que tu ne puisses rien changer en toi non plus. Je te laisse parfaitement libre de choisir ton asile et d'en changer sitôt que cela te conviendra. Tu n'y manqueras de rien, j'aurai soin de toi plus que de moi-même; et sitôt que nos cœurs nous feront mieux sentir combien nous étions nés l'un pour l'autre, et le vrai besoin de nous réunir, nous le ferons pour vivre en paix et nous rendre heureux mutuellement jusqu'au tombeau. Je n'endurerais pas l'idée d'une séparation éternelle; je n'en veux qu'une qui nous serve à tous deux de leçon; je ne l'exige point même, je ne l'impose point; je crains seulement qu'elle ne soit devenue nécessaire. Je t'en laisse le juge et je m'en rapporte à ta décision. La seule chose que j'exige, si nous en venons là, c'est que le parti que tu jugeras à propos de prendre se prenne de concert entre nous; je te promets de me prêter là-dessus en tout à ta volonté, autant qu'elle sera raisonnable et juste, sans humeur de ma part et sans chicane. Mais quant au parti que tu voulais prendre dans ta colère de me quitter et de t'éclipser sans que je m'en mêlasse et sans que je susse même où tu voudrais aller, je n'y consentirai de ma vie, parce qu'il serait honteux et déshonorant pour l'un et pour l'autre, et contraire à tous nos engagements.

Je vous laisse le temps de bien peser toutes choses. Réfléchissez pendant mon absence[1] au sujet de cette lettre. Pensez à ce que vous vous devez, à ce que vous

1. Rousseau s'apprêtait à aller herboriser dans le Vivarais.

me devez, à ce que nous sommes depuis longtemps l'un à l'autre, et à ce que nous devons être jusqu'à la fin de nos jours, dont la plus grande et la plus belle partie est passée, et dont il ne nous reste que ce qu'il faut pour couronner une vie infortunée, mais innocente, honnête, et vertueuse, par une fin qui l'honore et nous assure un bonheur durable. Nous avons des fautes à pleurer et à expier; mais, grâce au ciel, nous n'avons à nous reprocher ni noirceurs ni crimes; n'effaçons pas par l'imprudence de nos derniers jours la douceur et la pureté de ceux que nous avons passés ensemble.

Je ne vais pas faire un voyage bien long ni bien périlleux; cependant la nature dispose de nous au moment que nous y pensons le moins.

Vous connaissez trop mes vrais sentiments pour craindre qu'à quelque degré que mes malheurs puissent aller, je sois un homme à disposer jamais de ma vie avant le temps que la nature ou les hommes auront marqué. Si quelque accident doit terminer ma carrière, soyez bien sûre, quoi qu'on puisse dire, que ma volonté n'y aura pas eu la moindre part. J'espère me retrouver en bonne santé dans vos bras, d'ici à quinze jours au plus tard; mais s'il en était autrement, et que nous n'eussions pas le bonheur de nous revoir, souvenez-vous en pareil cas de l'homme dont vous êtes la veuve, et d'honorer sa mémoire en vous honorant. Tirez-vous d'ici le plus tôt que vous pourrez. Qu'aucun moine ne se mêle de vous ni de vos affaires en quelque façon que ce soit. Je ne vous dis point ceci par jalousie, et je suis bien convaincu qu'ils n'en veulent point à votre personne; mais n'importe, profitez de cet avis, ou soyez sûre de n'attirer que déshonneur et calamité sur le reste de votre vie. Adressez-vous à M. de Saint-Germain[1] pour sortir d'ici; tâchez d'endurer l'air méprisant de sa femme par la certitude que vous ne l'avez pas mérité. Cherchez à Paris, à Orléans, ou à Blois, une communauté qui vous convienne, et tâchez d'y vivre plutôt que seule dans une chambre. Ne comptez sur aucun ami; vous n'en avez point ni moi non plus, soyez-en sûre; mais comptez sur les honnêtes gens, et soyez sûre que la bonté de cœur et l'équité d'un honnête homme vaut cent fois mieux que l'amitié d'un coquin. C'est à ce titre d'honnête homme que vous pouvez donner votre confiance au seul homme de lettres que vous savez que je tiens pour tel[2]. Ce n'est pas un ami chaud, mais c'est un homme droit qui ne vous trompera pas, et qui n'insultera pas ma mémoire, parce qu'il m'a bien connu et qu'il est juste; mais il ne se compromettra pas, et je ne désire pas qu'il se compromette. Laissez tranquillement exécuter les complots faits contre votre mari; ne vous tourmentez point à justifier sa mémoire outragée; contentez-vous de rendre honneur à

1. Le 9 novembre 1768, pour la première fois, Rousseau s'était adressé à Claude-Louis de Saint-Germain (1707-1778) qui était son voisin : « Je n'ai pas, monsieur, l'honneur d'être connu de vous et je sais que vous n'aimez pas mes opinions; mais je sais aussi que vous êtes un brave militaire, un gentilhomme plein de droiture et d'honneur, qui a dans le cœur la religion véritable, celle qui fait les gens de bien. »

2. Duclos, à qui Rousseau conserva très longtemps son estime. Mais une note ajoutée au manuscrit des *Confessions* (liv. VII) accuse Duclos de « perfidie et de fausseté ». Cf. aussi second *Dialogue*.

la vérité dans l'occasion, et laissez la Providence et le temps faire leur œuvre; cette œuvre se fera tôt ou tard. Ne vous rapprochez plus des grands; n'acceptez aucune de leurs offres, encore moins de celles des gens de lettres. J'exclus nommément toutes les femmes qui se sont dites mes amies. J'excepte Mme Dupin et Mme de Chenonceaux; l'une et l'autre sont sûres à mon égard et incapables de trahison. Parlez-leur quelquefois de mes sentiments pour elles; ils vous sont connus. Vous aurez assez de quoi vivre indépendante avec les secours que M. Du Peyrou a dessein de vous donner, et qu'il vous doit, puisqu'il en a reçu l'argent. Si vous aimez mieux vivre seule chez vous que chez les religieuses, vous le pouvez; mais ne vous laissez pas subjuguer, ne vous livrez pas à vos voisines, et ne vous fiez pas aux gens avant de les connaître. Je finis ma lettre si à la hâte que je ne sais plus ce que je dis. Adieu, chère amie de mon cœur : à vous revoir. Et si nous ne nous revoyons pas, souvenez-vous toujours du seul ami véritable que vous ayez eu et que vous aurez jamais. Je ne me signerai pas Renou, puisque ce nom fut fatal à votre tendresse; mais, pour ce moment, j'en veux reprendre un que votre cœur ne saurait oublier.

A Monsieur Linné[1]

Paris, le 21 septembre 1771.

Recevez avec bonté, monsieur, l'hommage d'un très ignare, mais très zélé disciple de vos disciples; qui doit, en grande partie, à la méditation de vos écrits la tranquillité dont il jouit, au milieu d'une persécution d'autant plus cruelle, qu'elle est plus cachée et qu'elle couvre du masque de la bienveillance et de l'amitié la plus terrible haine que l'enfer excita jamais. Seul, avec la nature et vous, je passe dans mes promenades champêtres des heures délicieuses, et je tire un profit plus réel de votre *Philosophie botanique* que de tous les livres de morale. J'apprends avec joie que je ne vous suis pas tout à fait inconnu, et que vous voulez bien me destiner quelques-unes de vos productions. Soyez persuadé, monsieur, qu'elles feront ma lecture chérie, et que ce plaisir deviendra plus vif encore par celui de le tenir de vous. J'amuse une vieille enfance à faire une petite collection de fruits et de graines; si parmi vos trésors en ce genre il se trouvait quelques rebuts dont vous voulussiez faire un heureux, daignez songer à moi. Je les recevrais même

1. Le grand naturaliste suédois (1707-1778), auteur d'un *Systema naturae* (1735) que Rousseau avait sous le bras lorsqu'il herborisait : « avec un Linnaeus dans la poche et du foin dans la tête ». D'après un témoignage datant de 1770, Jean-Jacques disait de Linné : « Je lui suis redevable de ma santé et de ma vie même... »

avec reconnaissance, seul retour que je puisse vous offrir; mais que le cœur dont elle part ne rend pas indigne de vous.

Adieu, monsieur; continuez d'ouvrir et d'interpréter aux hommes le livre de la nature. Pour moi, content d'en déchiffrer quelques mots à votre suite, dans le feuillet du règne végétal, je vous lis, je vous étudie, je vous médite, je vous honore, et je vous aime de tout mon cœur.

COMMENTAIRES

par

Bernard Gagnebin

I

NOTICE BIOBIBLIOGRAPHIQUE

JEAN-JACQUES ROUSSEAU est né à Genève, le 28 juin 1712, d'une famille de Montlhéry, réfugiée à Genève au XVIe siècle pour avoir adhéré à la Réforme. Sa mère mourut peu après sa naissance, de sorte qu'il fut élevé par son père et par ses tantes, d'où un mélange d'esprit frondeur et de grande sensibilité. Son père ayant dû s'expatrier à la suite d'une querelle, Rousseau fut confié, à l'âge de dix ans, au pasteur du village de BOSSEY, où il vécut deux années heureuses. A treize ans, il commença un apprentissage de graveur, mais trois mois avant de l'achever, le 14 mars 1728, il s'enfuit de Genève et se rendit à Turin, où il abjura la religion protestante à l'hospice du Spirito Santo. Après avoir passé une année à Turin, au service de deux familles nobles, Rousseau se rendit chez Mme de Warens, et s'installa chez elle, d'abord à Annecy, puis à Chambéry, enfin aux CHARMETTES. Il devait y séjourner près de onze années.

Années de formation intellectuelle (Rousseau lit et rédige ses premiers essais littéraires), années d'éducation sentimentale (Rousseau est initié à l'amour par sa protectrice), années entrecoupées de voyages et de fugues à Lyon, en Suisse, à Besançon, à Montpellier.

En 1740, Rousseau devient précepteur des deux fils de M. de Mably à Lyon et compose à l'intention du plus jeune un *Projet pour l'éducation de M. de Sainte-Marie*. Deux ans plus tard, il se rend à Paris pour présenter à l'Académie des sciences un nouveau système de notation musicale. A cette époque, Rousseau songe à faire une carrière de musicien. Il publie une *Dissertation sur la musique moderne,* compose un opéra, *Les Muses galantes,* qui n'a pas de succès, et collabore à l'*Encyclopédie* en écrivant une quantité d'articles sur la musique. Entretemps, se place un bref séjour à Venise, en qualité de secrétaire de l'ambassadeur de France.

En 1749, en proie à une illumination, Rousseau décide de répondre à la question posée par l'Académie de Dijon : *Si le progrès des sciences et des arts a contribué à corrompre ou à épurer les mœurs* et il obtient le premier prix. La publication de ce *Discours* attire l'attention sur lui. Deux ans plus tard, il conquiert la célébrité en faisant représenter son opéra-ballet *Le Devin du village,* à Fontainebleau, devant le roi et la reine. Rousseau participe encore à diverses polémiques littéraires et, en 1755, il publie le *Discours sur l'origine de l'inégalité,* qu'il dédie à sa ville natale, où il est retourné l'été précédent, avec THÉRÈSE LEVASSEUR, sa compagne depuis dix ans. Pendant ce séjour à Genève, il est réintégré dans la religion protestante. A son retour à Paris, il décide de rompre avec la vie mondaine et de se « réformer ». Au printemps 1756, il accepte l'hospitalité de MME D'EPINAY à l'Ermitage de Montmorency et compose divers écrits, notamment une *Lettre sur la providence* adressée à Voltaire et un grand roman épistolaire, *La Nouvelle Héloïse,* dans lequel il met en scène les personnages qu'il a rencontrés dans sa jeunesse, notamment une jeune femme brune, Julie. Lorsque Mme d'Houdetot, belle-sœur de Mme d'Epinay, arrive chez lui à l'improviste, il la prend pour Julie et tombe amoureux d'elle. Cette intrigue le brouille avec ses amis et l'oblige à quitter l'Ermitage pour le Montlouis, où il écrit en trois semaines sa *Lettre à d'Alembert sur les spectacles* qui répond à Voltaire, accusé de corrompre Genève.

Tandis que *La Nouvelle Héloïse* s'imprime à Paris, Rousseau écrit un traité d'éducation, *Émile,* où il magnifie la religion naturelle, et un traité politique, le *Contrat social,* dans lequel il prône la souveraineté du peuple. Dénoncé à la Sorbonne pour ses thèses audacieuses, l'*Emile* est condamné par le Parlement de Paris, et son auteur décrêté d'arrestation.

Le 9 juin 1762, Rousseau s'enfuit en Suisse et s'installe à Yverdon, puis à Môtiers, dans la principauté de Neuchâtel. Il y séjournera un peu plus de trois ans. En réponse à ses accusateurs parisiens, il rédige une *Lettre à l'archevêque de Paris, M. de Beaumont,* et à ses accusateurs Genevois des *Lettres écrites de la Montagne.* En même temps, naît dans son esprit, l'idée d'écrire son autobiographie pour se justifier, mais ce projet est brutalement interrompu d'abord par la « lapidation » de Môtiers, ensuite par l'expulsion de l'île de Saint-Pierre, où Rousseau s'est établi à l'automne de 1765. Sur invitation de David Hume, il se rend en Angleterre et s'installe à Chiswick, près de Londres, puis à Wooton dans le comté de Derby. Rousseau poursuit la rédaction des

Confessions, rédige son testament, mais se brouille avec Hume, qu'il accuse de l'avoir attiré dans un guet-apens. Après avoir passé seize mois en Angleterre, Rousseau, toujours accompagné de Thérèse, retourne sur le continent et s'établit sous un faux nom, celui de Renou, à Trye-le-Château, chez le prince de CONTI, où il est en proie au délire de la persécution. En août 1768, il se rend à Bourgoin, dans le Dauphiné et épouse THÉRÈSE LEVASSEUR. En janvier 1769, il s'installe dans une ferme à Monquin et reprend la rédaction des *Confessions.* Depuis quelques années, il se passionne pour la botanique et fait de grandes excursions pour collectionner les plantes. En janvier 1770, il reprend le nom de Rousseau et rédige sa lettre autobiographique à M. de Saint-Germain; en avril, il assiste à Lyon, à la représentation du *Devin du village* et de Pygmalion (dont il a composé le livret); enfin, en juin, il retourne à Paris et reprend un logis, rue PLÂTRIÈRE. Il y vivra près de huit ans, partageant son temps entre les copies de musique (plus de 8 000 pages), qu'il exécute pour vivre, les promenades botaniques et divers ouvrages, les *Considérations sur le Gouvernement de Pologne,* écrites à la demande des confédérés de Bar; les *Lettres sur la botanique* destinées à Mme Delessert née Boy de la Tour; les *Dialogues de Rousseau, juge de Jean-Jacques,* où il tente de répondre à ses accusateurs. En septembre 1776, Rousseau commence à rédiger les *Rêveries du Promeneur solitaire.* Le 12 avril 1778, il écrit sa dernière page évoquant sa première rencontre avec Mme de Warens cinquante ans plus tôt. Peu après, il confie plusieurs de ses manuscrits au fils d'un ami et, le 20 mai, il s'installe à ERMENONVILLE chez le marquis de Girardin. Le 2 juillet 1778, après une promenade dans le parc d'Ermenonville, il éprouve de violentes douleurs et meurt à onze heures du matin. L'autopsie pratiquée le lendemain conclut à une apoplexie séreuse. Le même jour, le sculpteur Houdon exécute son masque mortuaire. Le 4 juillet 1778, Rousseau est inhumé dans l'île des Peupliers d'Ermenonville. Ses restes seront transférés au Panthéon seize années plus tard.

II

LE LIVRE ET SON PUBLIC

PUBLIÉES à la suite des *Confessions, les Rêveries du Promeneur solitaire* ont passé presque inaperçues, tant la curiosité qui s'attachait aux *Confessions* allait absorber l'attention du public. On ne trouve aucune allusion aux *Rêveries* dans les gazettes de l'époque, ni dans l'*Année littéraire,* ni dans le *Journal encyclopédique,* ni dans le *Mercure de France,* ni non plus dans la *Correspondance littéraire* de Grimm et Meister, pourtant aux aguets du moindre inédit de Jean-Jacques. Seul ou presque, Bachaumont dans ses *Mémoires secrets* (31 mai 1782) parle des *Rêveries*. Après avoir remarqué que *Les Confessions* telles qu'elles ont été publiées sont mutilées de la partie la plus importante, celle qui va du séjour de Rousseau à Paris jusqu'à sa mort, Bachaumont écrit : « Ses *Rêveries* ou *Promenades solitaires,* qui suivent au nombre de dix, suppléent au reste par quelques faits détaillés, tels que celui de sa chute à Ménilmontant le 24 octobre 1776, lorsqu'il fut renversé par un danois qui précédait le carrosse du président de Saint-Fargeau. Cependant ils sont tellement noyés dans des réflexions moroses, dans une foule d'idées noires, apocalyptiques et tenant un peu de la vision, qu'il est difficile de dévorer également cette lecture; d'autant que ce rabâchage tient beaucoup à un ouvrage de la même espèce qu'on connaissait déjà, intitulé « *Rousseau juge de Jean-Jacques*. »

Même silence de la part des auteurs de brochures ou d'opuscules sur Rousseau, publiés à la fin du XVIIIe siècle, qu'ils aient pour auteur Linguet, Mme de Staël, Barruel-Beauvert, Ginguené, Laharpe ou Sébastien Mercier. Et si Servan parle des *Rêveries*, c'est pour innocenter son ami Bovier et non pour relever l'intérêt et la valeur du texte. Il ne consacrera pas moins de quarante pages à démontrer que M. Bovier n'était pas un empoisonneur aux gages des ennemis de Jean-Jacques, mais un honnête homme injustement soupçonné par un être atrabilaire, ombrageux, aigri par ses malheurs. « Quoique je vis une accusation si odieuse s'exhaler pour ainsi dire, comme une odeur infecte, de son tombeau, je me dis en tremblant : Et moi aussi, j'ai approché cet homme! »

Les critiques du XIXe siècle n'ont pas été plus avisés. Autour des années 1900, *Les Rêveries* sont encore considérées comme l'œuvre d'un fou. Qu'on parcoure l'*Histoire de la littérature française* de Gustave Lanson (publiée en 1895 et constamment rééditée depuis lors) et on lira (p. 769) : « Les *Confessions* avec leur complément des *Rêveries*... sont moins un livre d'auteur qu'une vision de vieillard revivant avec délices sa vie inégale et mêlée. » Qu'on examine la *Vie de Rousseau* publiée par Émile Faguet à l'occasion du bi-centenaire de Jean-Jacques. Page 406, on trouve cette unique phrase : « *Rousseau juge de Jean-Jacques* et *Les Rêveries d'un Promeneur solitaire* sont le monologue, merveilleux du reste au point de vue artistique, d'un halluciné plein de terreur. » Quant à Ferdinand Brunetière, il se borne à déclarer dans son *Histoire de la*

littérature française classique (t. III *Le* XVIIIe *siècle,* ch. XIII, l'influence de Rousseau) : « Nous ne dirons rien des *Confessions*, ni des *Dialogues,* ni des *Rêveries d'un Promeneur solitaire*; car, outre que ce sont les œuvres d'un fou, nous en avons dit l'essentiel, en parlant du caractère de Rousseau », c'est-à-dire rien ou à peu près! Si la critique officielle n'a pas su discerner l'extraordinaire originalité des *Rêveries d'un Promeneur solitaire,* les poètes et les écrivains romantiques ont été, eux, éblouis et marqués de façon profonde par la lecture de ce livre. Dans son premier roman, *Aldomen ou le bonheur dans l'obscurité,* Senancour ne peut se détacher de l'inspiration et du style des *Rêveries*. On croit entendre Rousseau, lorsqu'on lit : « J'aime surtout l'étang lorsqu'il est agité... Ce mouvement égal et tranquille convient aux rêveries solitaires; du fond de mon bateau je n'aperçois que la voûte céleste; mon imagination... » ou bien :
« Mécontent de mon sort, mécontent de moi, je me transporte dans un autre ordre de choses; et dans ces moments... je suis heureux... » ou encore :
« C'est de moi, de moi seul dont je veux m'occuper maintenant : cherchons d'abord comment je puis être heureux et sage dans un état obscur, mais choisi. »
ou enfin :
« L'art de la vie consiste à se reposer dans l'instant actuel, à en jouir comme s'il était unique pour nous; notre existence n'est composée que du présent qui se succède... »

D'ailleurs, à la fin de son roman, Senancour avoue que, dans ses lectures, il revient sans cesse à Jean-Jacques et à Bernardin de Saint-Pierre.

Il est a tel point fasciné par Rousseau qu'il ne peut s'empêcher de baptiser Julie, la jeune fille vertueuse dont il s'éprend, tout comme Nerval, quelques années plus tard, sous les traits de Nicolas, tombera amoureux d'une Jeannette Rousseau! L'influence des *Rêveries* sur la littérature française du XIXe siècle est encore à étudier. Marcel Raymond écrit dans son étude sur *La quête de soi et la rêverie* : « Dans la première moitié du XIXe siècle... les sillages tracés par les rêveries... contribuent à donner son orientation à ce romantisme intérieur, qui est comme une introduction à la métaphysique du rêve... La quête philosophique de Maine de Biran a pour point de départ la méditation de Rousseau dans les *Rêveries.* » Et après avoir cité Senancour, il poursuit : « Il faudrait s'arrêter à Chateaubriand, à Nodier, à Nerval cueillant sur les chemins du Valois les souvenirs de sa jeunesse, au *Journal* de Maurice de Guérin, aux extases d'Amiel, à Baudelaire, qui avait songé à intituler : *Le Promeneur solitaire* ses poèmes en prose, à Rimbaud lui-même... »

Bornons-nous à rappeler ces deux vers du *Ressouvenir du lac Léman* de Lamartine, qui date de 1841 :

> *Je vois ici verdir les pentes de Clarens*
> *Des rêves de Rousseau fantastiques royaumes.*

Même engouement pour Jean-Jacques chez les romantiques anglais, ainsi que l'a montré Jacques Voisine dans son livre sur *Jean-Jacques Rousseau en Angleterre*. En 1816, Shelley publie *Alastor or the spirit of solitude,* où il décrit une âme qui aspire à se fondre dans la nature et à jouir du pur sentiment de l'existence. La même année William Hazlitt fait paraître son essai *On the Character of Rousseau*, dans lequel il élève *Les Confessions* et *Les Rêveries* au-dessus des autres ouvrages de l'écrivain. Ailleurs, il évoque l'épisode de la Pervenche ou s'apitoie sur le début de la *Dixième Promenade*. L'homme des *Rêveries* est constamment présent dans l'œuvre de Hazlitt et il ne faut pas s'étonner si l'autobiographie de ce dernier, qui voulait se montrer également *« intus et in cute »* a provoqué les mêmes sentiments (hypocrites) de répulsion que *Les Confessions*. Ne trouvons-nous pas d'authentiques accents rousseauistes dans ces phrases de *A Farewell to Essay-Writing* écrites en 1828 : « Renónçant au monde qui m'a trompé, je me tourne vers la nature qui lui prêta une fausse beauté et qui maintient les illusions du passé... Je n'ai besoin ni de livre, ni de compagnon... les jours, les heures, les pensées de ma jeunesse sont à mes côtés, et se mêlent à l'air qui rafraîchit ma joue. »

L'influence des *Rêveries* sur la littérature allemande de la fin du XVIIIe et du XIXe siècle est encore plus grande que sur la littérature anglaise : Gœthe, Eichendorff, Hölderlin, Kleist, Jean-Paul Richter ont été non seulement de fervents lecteurs, mais de fervents admirateurs de Rousseau. On a récemment montré les rapports étroits qui existent entre certaines idées exprimées par Gœthe dans *Faust* et certains passages des *Rêveries*. Gœthe a lu *Les Confessions* (et par conséquent, *Les Rêveries*) dès leur publication en mai 1782. « Les quelques pages que j'ai parcourues luisent comme des étoiles... Quel cadeau à l'humanité qu'un homme supérieur ! » écrit-il à sa mère à cette époque.

A propos du pacte-pari entre Faust et Mephistophélès, M. Maurice Bémol, dans les *Études germaniques* de 1958, fait un rapprochement suggestif entre le fragment de la *Cinquième Promenade*, où Rousseau s'écrie dans un moment d'extase : « Je voudrais que cet instant durât toujours » et l'affirmation de *Faust* :

Werd ich zum Augenblicke sagen
Verweile doch, du bist so schön !

Pour Gœthe comme pour Rousseau, l'homme doit choisir entre le plaisir qui passe et le bonheur qui dure, mais le sentiment de l'existence est source d'énergie spirituelle chez le premier, alors qu'elle est extase passive chez le second.

Deux strophes de l'hymne *Der Rhein* (1801) de Friedrich Hölderlin sont consacrées à Rousseau. Le grand poète allemand loue Jean-Jacques de s'être retiré du monde et d'avoir renoncé à imposer à l'humanité une vision trop dangereuse dans l'immédiat.

> *Le destin le plus doux lui semble*
> *Souvent de vivre là, presque oublié dans l'ombre*
> *De la forêt où nul rayon ne brûle, sur la rive*
> *Du lac de Bienne, au cœur de la fraîche verdure.*
>
> (Trad. Gustave Roud).

C'est encore le Rousseau des *Rêveries* et de la *Profession de foi* qui fascine le poète Jean-Paul Richter. Ce dernier — qui a changé de prénom en hommage à Jean-Jacques — place Rousseau dans son Panthéon et admire en lui l'homme qui a su se délivrer des entraves du corps pour se laisser envoûter par l'imagination et accéder de son vivant aux plus hautes aspirations de l'esprit.

Quant à Heinrich von Kleist, il tient comme Rousseau à échapper à la malédiction née du progrès et à retrouver dans la nature une vie authentique et simple. C'est pourquoi il s'installe dans une île, située près de Thoune, à l'embouchure de l'Aar, et y trouve l'inspiration de sa première pièce de théâtre : *Die Familie Schroffenstein,* « nourrie de contrastes qui reflètent Rousseau », nous dit, M. Bernard Böschenstein, dans son étude sur « Rousseau dans la poésie allemande » parue dans les *Annales Rousseau,* 1963-1965.

III

LE MANUSCRIT

SELON Thérèse, le jour même de la mort de Rousseau, le 2 juillet 1778, le marquis de Girardin se fit ouvrir le secrétaire de l'écrivain, il s'empara des papiers de Rousseau et les transporta en vrac au château, pour les mettre en sécurité. Il y trouva les manuscrits de diverses œuvres, notamment *Les Confessions,* les *Considérations sur le Gouvernement de Pologne,* le *Lévite d'Ephraïm, Émile et Sophie,* ainsi que deux petits cahiers. Le premier, broché, de 138 pages, petit in-8°, portait sur le second feuillet ce titre : « Les rêveries du Promeneur Solitaire » et renfermait, d'une écriture belle et régulière, une copie autographe des sept premières Promenades. Le second, relié en parchemin, de 57 feuillets in-8°, contenait le brouillon des trois dernières Promenades, ainsi que de quelques passages des Dialogues, l'histoire du précédent écrit et le catalogue d'une collection de graines. Les brouillons ne sont pas toujours facile à déchiffrer. Les différents éditeurs des *Rêveries* s'y sont en général appliqués avec plus ou moins de succès.

Le marquis de Girardin découvrit encore dans les

papiers de Rousseau vingt-sept cartes à jouer, au dos desquelles Rousseau avait écrit, tantôt à l'encre, tantôt au crayon, les réflexions que lui suggéraient ses promenades. Les cartes à jouer figurent aujourd'hui à la suite de toutes les éditions des *Rêveries*. Elles sont d'une lecture plus difficile que les manuscrits et ont donné lieu à des interprétations diverses. Le 4 octobre 1778, le marquis de Girardin adressa au Neuchâtelois Du Peyrou, détenteur des papiers que Rousseau avait laissés en Suisse, lors de son départ de Môtiers et puis de l'île de Saint-Pierre, un état des manuscrits qu'il avait rassemblés. Le 4 octobre 1778, au sujet des *Rêveries* : il écrit : « Cet ouvrage dans l'état actuel consiste en sept Promenades qui en forment les divisions. En rassemblant avec beaucoup de peine, tout ce qu'il serait possible de tirer de différentes cartes et brouillons presque indéchiffrables, je crois qu'on pourrait encore trouver de la matière pour deux promenades. Cet ouvrage philosophique qui est une espèce de journal de ses pensées pendant ses promenades auxquelles il s'était livré dans les derniers temps de sa vie serait fort intéressant... »

En février 1780, le marquis de Girardin fit préparer une cassette pour expédier à Du Peyrou les manuscrits de Rousseau qu'il avait réunis. De concert avec le riche négociant neuchâtelois et avec le pasteur Moultou à Genève, Girardin pensait publier l'ensemble des œuvres de Rousseau au profit de sa veuve, « cette pauvre Thérèse » qui ne devait guère tarder à se consoler. Mais les trois associés se brouillèrent et la première édition des *Rêveries* parut en mars 1782, à la suite des *Confessions,* par les soins de la Société typographique de Genève.

A la mort de Du Peyrou, l'ensemble des manuscrits de Rousseau, dont il était dépositaire, entra à la Bibliothèque de la ville de Neuchâtel, où ils se trouvent toujours.

Par précaution, les premiers éditeurs ont supprimé les noms de personne, à l'exception de celui de l'avocat Bovier de Grenoble, maintenu par inadvertance, ce qui provoqua une violence polémique avec l'avocat général Servan.

IV

TEXTES MÉMORABLES

« Je sentis avant de penser; c'est le sort commun de l'humanité. Je l'éprouvai plus qu'un autre. J'ignore ce que je fis jusqu'à cinq ou six ans : je ne sais comment j'appris à lire; je ne me souviens que de mes premières lectures et de leur effet sur moi : c'est le temps d'où je date sans interruption la conscience de moi-même. Ma mère avait laissé des romans. Nous nous mîmes à les lire après souper mon père et moi. Il n'était question d'abord que de m'exercer à la lecture par des livres amusants; mais bientôt l'intérêt devint si vif que nous lisions tour à tour sans relâche, et passions les nuits à cette occupation. Nous ne pouvions jamais quitter qu'à la fin du volume. Quelquefois mon père, entendant le matin les hirondelles, disait tout honteux : allons nous coucher; je suis plus enfant que toi.

« En peu de temps j'acquis par cette dangereuse méthode, non seulement une extrême facilité à lire et à m'entendre, mais une intelligence unique à mon âge sur les passions. Je n'avais aucune idée des choses, que tous les sentiments m'étaient déjà connus. Je n'avais rien conçu; j'avais tout senti. » (*Confessions*, livre I.)

« Ici commence le court bonheur de ma vie; ici viennent les paisibles mais rapides moments qui m'ont donné le droit de dire que j'ai vécu. Moments précieux et si regrettés, ah recommencez pour moi votre aimable cours; coulez plus lentement dans mon souvenir s'il est possible, que vous ne fîtes réellement dans votre fugitive succession. Comment ferai-je pour prolonger à mon gré ce récit si touchant et si simple; pour redire toujours les mêmes choses, et n'ennuyer pas plus mes lecteurs en les répétant que je ne m'ennuyais moi-même en les recommençant sans cesse? Encore si tout cela consistait en faits, en actions, en paroles, je pourrais le décrire et le rendre, en quelque façon : mais comment dire ce qui n'était ni dit, ni fait, ni pensé même, mais goûté, mais senti, sans que je puisse énoncer d'autre objet de mon bonheur que ce sentiment même. Je me levais avec le soleil et j'étais heureux; je me promenais et j'étais heureux, je voyais maman et j'étais heureux, je la quittais et j'étais heureux, je parcourais les bois, les coteaux, j'errais dans les vallons, je lisais, j'étais oisif, je travaillais au jardin, je cueillais les fruits, j'aidais au ménage, et le bonheur me suivait partout; il n'était dans aucune chose assignable, il était tout en moi-même, il ne pouvait me quitter un seul instant. » (*Confessions*, livre VI.)

«... Mais je sentais qu'écrire pour avoir du pain eût bientôt étouffé mon génie et tué mon talent qui était moins dans ma plume que dans mon cœur, et né uniquement d'une façon de penser élevée et fière qui seule pouvait le nourrir. Rien de vigoureux, rien de grand ne peut partir d'une plume toute vénale. La nécessité, l'avidité peut-être, m'eût fait faire plus vite que bien. Si le besoin du succès ne m'eût pas plongé dans les cabales, il m'eût fait chercher à dire, moins des choses utiles et vraies, que des choses qui plussent à la multitude, et d'un auteur distingué que je pouvais être, je n'aurais été qu'un barbouilleur de papier. Non non, j'ai toujours senti que l'état d'auteur n'était, ni pouvait être illustre et respectable qu'autant qu'il n'était pas un métier. Il est trop difficile de penser noblement quand on ne pense que pour vivre. Pour pouvoir, pour oser dire de grandes vérités il ne faut pas dépendre de son succès. » (*Confessions,* livre IX.)

« L'objet de la vie humaine est la félicité de l'homme, mais qui de nous sait comment on y parvient. Sans principe, sans base assurée, nous courons de désirs en désirs et ceux que nous venons à bout de satisfaire nous laissent aussi loin du bonheur qu'avant d'avoir rien obtenu. Nous n'avons de règle invariable, ni dans la raison qui manque de soutien, de prise et de consistance, ni dans les passions qui se succèdent et s'entredétruisent incessamment, victimes de l'aveugle inconstance de nos cœurs, la jouissance des biens désirés ne fait que nous préparer et des privations et des peines, tout ce que nous possédons ne sert qu'à nous montrer ce qui nous manque et faute de savoir comment il faut vivre nous mourons tous sans avoir vécu. S'il est quelque moyen possible de se délivrer de ce doute affreux, c'est de l'étendre pour un temps au-delà de ses bornes naturelles, de se défier de tous ses penchants, de s'étudier soi-même, de porter au fond de son âme le flambeau de la vérité; d'examiner une fois tout ce qu'on peut, tout ce qu'on croit, tout ce qu'on sent et tout ce qu'on doit penser, sentir et croire pour être heureux, autant que le permet la condition humaine. Voilà, ma charmante amie, l'examen que je vous propose aujourd'hui. » *(Lettres morales,* II.*)*

« C'est à toi que je m'adresse, tendre et prévoyante mère, qui sus t'écarter de la grande route, et garantir l'arbrisseau naissant du choc des opinions humaines! Cultive, arrose la jeune plante avant qu'elle meure : ses fruits feront un jour tes délices. Forme de bonne heure une enceinte autour de l'âme de ton enfant; un autre en peut marquer le circuit, mais toi seule y dois poser la barrière.

« On façonne les plantes par la culture, et les hommes par l'éducation. Si l'homme naissait grand et fort, sa taille et sa force lui seraient inutiles jusqu'à ce qu'il eût appris à s'en servir; elles lui seraient préjudiciables, en empêchant les autres de songer à l'assister; et, abandonné à lui-même, il mourrait de misère avant d'avoir connu ses besoins. On se plaint de l'état de l'enfance; on ne voit pas que la race humaine eût péri si l'homme n'eût commencé par être enfant. » *(Emile,* livre I.)

« J'ai toujours aimé l'eau passionnément, et sa vue me jette dans une rêverie délicieuse, quoique souvent sans objet déterminé. Je ne manquais point à mon lever lorsqu'il faisait beau de courir sur la terrasse humer l'air salubre et frais du matin, et planer des yeux sur l'horizon de ce beau lac, dont les rives et les montagnes qui le bordent enchantaient ma vue. Je ne trouve point de plus digne hommage à la divinité que cette admiration muette qu'excite la contemplation de ses œuvres et qui ne s'exprime point par des actes développés. Je comprends comment les habitants des villes qui ne voient que des murs, des rues et des crimes ont peu de foi; mais je ne puis comprendre comment des campagnards et surtout des solitaires peuvent n'en point avoir. » (*Confessions,* livre XII.)

« Dans l'espace d'une vie assez courte, j'ai éprouvé de grandes vicissitudes, sans sortir de ma pauvreté, j'ai pour ainsi dire goûté de tous les états, le bien et le mal être se sont fait sentir à moi de toutes les manières, la nature me donna l'âme la plus sensible, le sort l'a soumise à toutes les affections imaginables et je crois pouvoir dire, avec un personnage de Térence, que rien d'humain n'est étranger à moi. Dans toutes les situations, je me suis toujours senti affecté de deux manières différentes et quelquefois contraires, l'une venant de l'état de ma fortune et l'autre de celui de mon âme, en sorte que tantôt un sentiment de bonheur et de paix me consolait dans mes disgrâces, et tantôt un malaise importun me troublait dans la prospérité.

« Ces dispositions intérieures indépendantes du sort et des événements m'ont fait une impression d'autant plus vive que mon penchant à la vie contemplative et solitaire leur donnait lieu de se mieux développer; je sentais pour ainsi dire en moi le contrepoids de ma destinée. J'allais me consoler de mes peines dans la solitude où je versais des larmes quand j'étais heureux. En cherchant le principe de cette force cachée qui balançait ainsi l'empire de mes passions, je trouvai qu'il venait d'un jugement secret que je portais sans y penser sur les actions de ma vie et sur les objets de mes désirs. Mes maux me tourmentaient moins en songeant qu'ils n'étaient point mon ouvrage et mes plaisirs perdaient tout leur prix, quand je voyais de sang-froid en quoi je les faisais consister. Je crus sentir en moi un germe de bonté qui me dédommageait de la mauvaise fortune et un germe de grandeur qui m'élevait au-dessus de la bonne; je vis que c'est en vain qu'on cherche au loin son bonheur quand on néglige de le cultiver en soi-même; car il a beau venir du dehors, il ne peut se rendre sensible qu'autant qu'il trouve au dedans une âme propre à le goûter. » *(Lettres morales,* IV.*)*

« Solitude chérie où je passe encore avec plaisir les restes d'une vie livrée aux souffrances, forêts sans bois, marais sans eaux, genêts, roseaux, tristes bruyères, objets inanimés qui ne pouvez ni me parler ni m'entendre, quel charme secret me ramène sans cesse au milieu de vous. Êtres insensibles et morts, ce charme n'est point en vous, il n'y saurait être, il est dans mon propre cœur qui veut tout rapporter à lui. Le commerce des hommes m'éloigne de celui qui m'est le plus cher, et ce n'est que dans vos asiles que je puis être en paix avec moi. » *(De l'art de jouir.)*

« Voici le seul portrait d'homme, peint exactement d'après nature et dans toute sa vérité, qui existe et qui probablement existera jamais. Qui que vous soyez que ma destinée ou ma confiance ont fait l'arbitre du sort de ce cahier, je vous conjure par mes malheurs, par vos entrailles, et au nom de toute l'espèce humaine de ne pas anéantir un ouvrage unique et utile, lequel peut servir de première pièce de comparaison pour l'étude des hommes, qui certainement est encore à commencer, et de ne pas ôter à l'honneur de ma mémoire le seul monument sûr de mon caractère qui n'ait pas été défiguré par mes ennemis. » *(Confessions, préambule.)*

« Tant que les hommes n'arracheront pas de ma poitrine le cœur qu'elle enferme pour y substituer, moi vivant, celui d'un malhonnête homme, en quoi pourront-ils altérer, changer, détériorer mon être? Ils auront beau faire un Jean-Jacques à leur mode, Rousseau restera toujours le même en dépit d'eux.

« N'ai-je donc connu la vanité de l'opinion que pour me remettre sous son joug aux dépens de la paix de mon âme et du repos de mon cœur? Si les hommes veulent me voir autre que je ne suis, que m'importe? L'essence de mon être est-elle dans leurs regards?... Ma félicité doit être d'un autre ordre; ce n'est plus chez eux que je dois la chercher, et il n'est pas plus en leur pouvoir de l'empêcher que de la connaître. Destiné à être dans cette vie la proie de l'erreur et du mensonge, j'attends l'heure de ma délivrance et le triomphe de la vérité sans les plus chercher parmi les mortels... Quoi que fassent les hommes, le Ciel à son tour fera son œuvre. » *(Histoire du précédent écrit.)*

TABLE

COMMENTAIRES

IMPRIMÉ EN FRANCE PAR BRODARD ET TAUPIN
7, bd Romain-Rolland - Montrouge - Usine de La Flèche.
[illegible]
ISBN : 2 - 253 - 00904 - 0

SÉRIE CLASSIQUE

- Des **textes intégraux** reproduisant des éditions fidèles et sûres.
- Des **commentaires** établis par les meilleurs spécialistes.

grands écrivains du XVIIIe siècle

CHAMFORT

Maximes et pensées
suivi de
Caractères et anecdotes
(préface d'Albert Camus)

DIDEROT

Présentation de J. Proust

Jacques le Fataliste

Le Neveu de Rameau suivi de 8 autres textes

La Religieuse

(avec préface inédite d'Henry de Montherlant)

Les Bijoux indiscrets

LACLOS

Présentation, notes et commentaires de J. Mistler, de l'Académie française

Les Liaisons dangereuses

MARIVAUX

Théâtre

Notices et notes de José Lupin

Tome I

Le Jeu de l'amour

La Double Inconstance

L'Ile de la raison et 6 autres pièces

Tome II

Les Fausses Confidences

Le Triomphe de l'amour

L'Epreuve

La Dispute

Le Legs et 4 autres pièces

MONTESQUIEU

Présentation et notes de G. Gusdorf

Lettres persanes

PREVOST

Présentation et notes de M.-H. Deloffre

Manon Lescaut

ROUSSEAU

Présentation de Bernard Gagnebin

Confessions (2 tomes)

Les rêveries du promeneur solitaire

SADE

Présentation, notes et commentaires de Béatrice Didier

Justine ou les malheurs de la vertu

Les Crimes de l'Amour

La marquise de Gange
(à paraître début 1974)

VAUVENARGUES

Présentation et éclaircissement de Samuel S. de Sacy

Réflexions et maximes

VOLTAIRE

Présentation et commentaires de J. Van den Heuvel

Romans, contes et mélanges (2 tomes)

30/1516/1